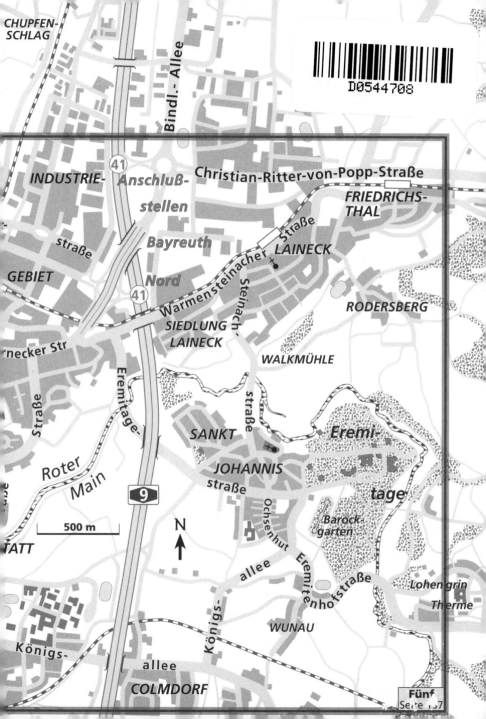

Kläre Warnecke

Spaziergänge durch Richard Wagners Bayreuth

Arche

Inhalt

Frontispiz: Vor dem Festspielhaus, um 1900

Copyright © 2001 by Arche Verlag AG,
Zürich-Hamburg
Alle Rechte vorbehalten
Umschlag: Max Bartholl, Frankfurt
Karten: www.kartenwerk.com
Satz: Greiner & Reichel, Köln
Lithos: Repro Studio Kroke, Hamburg
Druck, Bindung: Wilhelm Röck, Weinsberg
Printed in Germany
ISBN 3-7160-2283-7

Auf Wagners Spuren

Irgendwann sitzen wir alle
in Bayreuth zusammen und
begreifen gar nicht mehr, wie man es
anderswo aushalten konnte.
Friedrich Nietzsche

Richard Wagner und Bayreuth: Das war ein Glücksfall, ein großer Augenblick im musikalischen Weltgetriebe. Eine historische Stunde, die ihren Rang bis heute mit unverminderter Aktualität und Wirkung hält. So mancher hatte den Komponisten des *Tannhäuser*, des *Lohengrin* und des *Tristan* ja schlicht für größenwahnsinnig erklärt mit seiner Idee eines eigenen Theaters allein für sein gewaltiges *Ring*-Werk. Doch mit eiserner Entschlossenheit machte Wagner aus seiner Utopie greifbare Wirklichkeit. »Wagners Traum von den Festspielen in Bayreuth ist das Großartigste, was das 19. Jahrhundert auf dem Gebiet der Theaterkultur geschaffen hat«, so befand denn auch Konstantin Stanislawski, Rußlands berühmter Theaterregisseur. Wagner, bekanntlich kein Freund großer Bescheidenheit, sah es genauso: Bayreuth – »mein größter praktischer Genie-Streich«. Aber was trieb das Theatergenie gerade nach Bayreuth? In diesen weltverlorenen Winkel Oberfrankens? Baden-Baden, Berlin, sogar London und Chicago hatten ihm verlockende Offerten gemacht. War's Zufall, war's Intuition oder reines Kalkül? Gewiß, als blutjunger Kapellmeister war Wagner auf der Fahrt nach Nürnberg 1835 be-

reits einmal in das »vom Abendsonnenschein lieblich beleuchtete Bayreuth« gelangt. Und wenn er diese Erinnerung auch in seiner Autobiographie *Mein Leben* geschönt hat, so dürfte der romantisch verklärte Augenblick doch beflügelnd gewirkt haben, als am 5. März 1870 in Wagners Schweizer Exil in Tribschen das Stichwort Bayreuth fiel und Richard und Cosima im eilig herbeigeholten Konversationslexikon auf das alte Bayreuther Opernhaus stießen: die prachtvolle Schöpfung der Markgräfin Wilhelmine, ein einzigartiges Juwel barocker Theaterbaukunst, in dem das Goldene Zeitalter der kleinen fürstlichen Residenz bis heute zaubermächtig nachschwingt. Die Markgräfliche Oper wurde denn auch Wagners erste Anlaufstelle in Bayreuth, das freilich für ihn noch über ganz andere Vorzüge gebot. Allein die Landschaft um die im Talkessel liegende Stadt mit ihren anmutigen Hügeln, von Fichtelgebirge, Fränkischem Jura und Fränkischer Alb eigenwillig gerahmt, war ein prächtiges Stimulans. Wagner ist hier viel und gern herumgewandert. Und auch wir werden diesen »Zaubergürtel« um Bayreuth, wie Jean Paul ihn nannte, auf unseren Spaziergängen und Ausflügen kennenlernen.

Aber ausschlaggebend für die Wahl Bayreuths waren andere Gesichtspunkte: Zum einen lag die Stadt zwar fern von den Wagner verhaßten Metropolen, war dennoch gut erreichbar von München, Frankfurt, Leipzig oder Berlin. Vor allem aber befand sie sich gerade noch in Bayern, dem Herrschaftsbereich König Ludwig II., Wagners größtem Gönner, der ihm schließlich aus seiner Privatschatulle eine großzügige jährliche Apanage zukommen ließ. Bayreuth – also ein Entschluß aus Neigung, Rücksichtnahme und Räson. Mit der ihm angeborenen großen Geste hat Wagner, den eigenen Nachruhm wie keiner sonst im Auge, es selbst so zusammengefaßt: »Es ist mir nötig, endlich zu wissen, wo ich meinen festen Wohnsitz nehme und für meine Familie im bürgerlichen Sinne sorgen kann. Ich habe viele Jahre meines Lebens dem wüsten Walten … des Zufalls geben müssen, nenne keinen Besitz mein und lebe wie ein Flüchtling in der Welt. Ich muß dort leben, wo ich mir zugleich einen angemessenen Wirkungskreis bereitet wissen kann: das muß im Herzen Deutschlands sein …!« Überdies war für ihn klar: Die Welt sollte zu ihm kommen – nicht umgekehrt. Und die Welt kam nach Bayreuth. Erst das galt Richard Wagner als der endgültige Beweis seiner singulären Künstlerschaft. Ihm jedenfalls gefiel der Gedanke, daß man gleichsam ins Off reisen mußte, um seiner *Ring*-Weihen teilhaftig zu werden inmitten eines Kreises ausgesuchter Freunde, Förderer und hingebungsvoller Gefolgsleute.
Bayreuth – das war für den bald 57jährigen wie das langersehnte Einbiegen in eine Zielgerade, die er bereits zwei Jahrzehnte zuvor ins Auge gefaßt und programmatisch fixiert hatte. Und in Bayreuth hat er denn auch in seinem letzten Lebensjahrzehnt trotz manch niederschmetternder Rückschläge vollendet, was er sich an Großem vorgenommen hatte: den *Ring des Nibelungen*, dann auch noch den *Parsifal*, sein rätselhaftes, immer neu verstörendes »Weltabschiedswerk«, und eine Festspielidee, die weit über das 19. Jahrhundert hinausragt. »Es steht deutlich vor mir, daß, nach der realen Seite meines Wirkens hin, Bayreuth die gelungenste Auffindung meines Instinkts war.« Eine »Auffindung«, die freilich schon zu seinen Lebzeiten Freunde und Feinde aufs Erbitterste gegeneinandertrieb, aber – auf merkwürdige Weise – auch in stetem Kampf und Disput zusammenschloß. Sicherstes Zeichen für die überzeitliche Bedeutung und Brisanz des Werks. Mancher jedenfalls, der als tiefer Wagner-Verächter nach Bayreuth gekommen war, schied mit geläuterter Seele aus der Festspielstadt. Und kaum einer, der sich auf seine strikte Neutralität etwas zugute hielt, blieb im Herzen kalt angesichts eines »Jahrhundert-Rings«, mit dem die Franzosen Patrice Chéreau und Pierre Boulez 1976 zum hundertjährigen Festspieljubiläum in Bayreuth die Wagner-Welt in Aufruhr versetzten und noch jahrelang für Turbulenzen auf dem Grünen Hügel sorgten. Wer dabei war, wird es nicht

Richard Wagner, 1871.
Foto von Franz Hanfstaengl

Bayreuth um 1845 mit Schloß und Stadtkirche als Wahrzeichen.

vergessen, wie die Zuschauer nach dem Schlußvorhang aufeinander losgingen. Hingerissen die einen, maßlos empört die anderen – die Orthodoxen –, die es für ein Sakrileg hielten, Wagners Werk einer so unverfroren gesellschaftskritischen Spiegelung ausgesetzt zu sehen, die die Helden der fortschrittstrunkenen Gründerzeit dem Spott, wenn nicht gar dem Sarkasmus preisgab. Da wurde wieder einmal offenbar: Richard Wagner lebt. Er polarisiert, aber er paralysiert nicht.

Doch noch einmal zurück zu den Anfängen: zum Markgräflichen Opernhaus, das nachweislich den Anstoß für Wagners zweiten, entscheidenden Bayreuth-Besuch gab und ihn mit seinem prächtigen Innendekor nicht wenig frappierte. Zwar erwies es sich schnell als untauglich: Die Bühne, obwohl von bemerkenswerter Tiefe, reichte für seine weltensprengenden *Ring*-Vi-

sionen bei weitem nicht aus. Auch war der Raum für das Orchester viel zu klein, faßte gerade einmal fünfzig Musiker, nicht aber die für seine musikalische Weltschau vorgesehene Hundertschaft. Doch konnte das alles Wagner in seinem Tendre für Bayreuth nicht irritieren. Er baute sich kurzerhand ein neues Theater und feierte die Grundsteinlegung seines Festspielhauses 1872 im alten Markgräflichen Opernhaus: als Reverenz an jene große preußische Prinzessin Wilhelmine, die Bayreuth erst eigentlich kreiert hatte – in ingeniösem Wettstreit mit ihrem königlichen Bruder. Denn so wie Friedrich der Große Potsdam zu Preußens Arkadien machte, so schuf Wilhelmine in Bayreuth einen der strahlendsten europäischen Musenhöfe ihrer Zeit. Ihr Arkadien an den sanften Windungen des Roten Mains.

Richard Wagner hat nur zu gut ge-

Nach einer Zeichnung von Fritz Bamberger

na, sondern ebenso das Neue Schloß mit den Extravaganzen seiner Spiegel- und Spalierkabinette, die Eremitage mit ihren fabulösen Grotten und Wasserspielen und das Abenteuer des Felsengartens Sanspareil.

Als Wilhelmine am 14. Oktober 1758 starb, schrieb Henri de Catt, des Königs Sekretär und intimster Gesprächspartner, in sein Tagebuch: »Die herzzerreißende Lage, in der ich Seine Majestät vorfand, drang tief in meine Seele. Ich sagte dem König alles, was man in solchen Augenblicken sagen kann, um den Schmerz zu lindern, indem ich einging auf das Leid, das ihn heimgesucht hatte, und auf die Gründe, die er hatte, betrübt zu sein und eine so zärtliche Schwester zu betrauern.« Friedrich der Große vermochte seinen Schmerz über Wilhelmines Tod dennoch kaum zu zügeln: »Es gibt Unglücksfälle, die durch Standhaftigkeit

Wagner und sein Bayreuther Festspieltheater. Karikatur von 1873

wußt, daß er nicht in eine x-beliebige Stadt einzog, als er sich für Bayreuth entschied: einen Ort von feinem und vor allem exklusivem Rokokoglanz, der seine eigenen Kunsttaten mit dem exquisiten Schimmer fürstlicher Tradition überzog.

Das Bayreuth der Markgräfin Wilhelmine zu entdecken und zu erkunden ist denn auch ein Vergnügen besonderer Art. Wilhelmine war eine der herausragenden Frauengestalten des 18. Jahrhunderts. Obwohl als Musikerin und Komponistin, als Librettistin, Opernintendantin und Schriftstellerin hochtalentiert, lebte sie ihre Phantasien vor allem in den eigenwilligsten Schloßbauten, Interieurs und Gartenanlagen aus. Eine brillante Bauherrin, der wir nicht nur das funkelnde Markgräfliche Opernhaus verdanken, dieses Meisterwerk des italienischen Stararchitekten Giuseppe Galli Bibie-

und ein wenig Mut wettzumachen sind; doch es gibt andere, gegen die alle Festigkeit, mit der man sich wappnen will, und alles Reden der Philosophen nichts als vergebliche und unnütze Hilfe sind«, gestand er Voltaire, den er um einen Trauergesang für seine Schwester bat. Bayreuth atmet Wilhelmines unvergleichliche Aura bis auf den heutigen Tag, auch wenn Wagner seit seinem furiosen Auftreten die Geistesgeschichte zu bestimmen scheint. Daß ausgerechnet Jean Paul, der zu Unrecht vergessene Dichter der *Flegeljahre* und des *Siebenkäs*, den »Gesamtkunstwerker« Richard Wagner prophetisch voraussah, ist vielleicht genau dieser Aura Bayreuths geschuldet. So wird für den, der die Zeichen zu deuten vermag, in Bayreuth alles mit allem aufs schönste verwoben. Wilhelmine mit Wagner, Wagner mit jenem Jean Paul, der 1813, also just im Geburtsjahr Richards, in seinem Vorwort zu E. T. A. Hoffmanns *Fantasiestücken in Callot's Manier* das Erscheinen eines großen Ton-Dichters mit den Worten heraufbeschwor: »… bisher warf immer der Sonnengott die Dichtgabe mit der Rechten und die Tongabe mit der Linken zwei so weit auseinander stehenden Menschen zu, daß wir noch bis diesen Augenblick auf den Mann harren, der eine ächte Oper zugleich dichtet und setzt.« Dabei war er doch selbst der mächtigste Sprach-Musiker, ein Dichter, der zudem mit Inbrunst am Klavier zu phantasieren

verstand, dabei freilich oft nur schwer ein Ende fand, wie seine Zeitgenossen klagten. Aber so war es nun einmal: Während Jean Paul in seinen Romanen selbst die verrücktesten Abschweifungen zu virtuosen Kulminationspunkten trieb, blieb er musikalisch im Kunst-Wollen stecken. Doch wir haben ja seine Romane, die sprudelnde Fülle seiner politischen, pädagogischen und philosophischen Schriften, auch das wunderbare »Ideengewimmel« seiner Aphorismen und Sentenzen, in denen seine unruhvolle Seele immer neuen, überwältigenden Ausdruck fand. Denn als Mensch und Künstler war er schnell entflammbar, aber ebenso schnell auf Distanz, wenn ihn die schnöde Wirklichkeit bei seiner Suche nach dem Idealen wieder auf der Erde aufprallen ließ. Und zwischen schwärmerischer Anziehung und grimmiger Abstoßung changiert auch Jean Pauls Bayreuth-Bild: zuerst das helle Entzücken, dann Verdrossenheit. »Bayreuth (hat) den Fehler, daß zu viele Bayreuther darin wohnen«, war nur eins seiner bissigen Bonmots über seine Wahlheimat, die er jedoch mit einzigartiger poetischer Sublimierungskraft in seinem literarischen Werk aufblühen ließ. Leicht verschleiert in den *Flegeljahren*, im *Siebenkäs* dann so offen, daß wir die Stadt, Schloß Fantaisie und die Eremitage fast topographisch genau vor uns zu sehen glauben, doch stets in geheimnisvollem Licht. Ohne Jean Paul ist Bayreuth jedenfalls undenkbar. Er wird uns auf unseren Spaziergängen denn auch ein animierender Führer und Begleiter sein.

Jean Paul in seinen ersten Bayreuther Jahren.
Plakat nach einem Gemälde von
Friedrich Meier aus dem Jahr 1810

Dennoch ist Wagner bis heute der stärkste Magnet für Bayreuth, wie unerbittlich der Kampf um Thron und Macht unter den Mitgliedern seines Clans auch tobt. Im Streit um das Erbe lassen die Wagners keinen Tiefschlag aus. Oft genug mutet das Ganze fast wie ein Satyrspiel an. Doch darf man darüber nicht vergessen, daß das entscheidende Band zwischen Wagner und Bayreuth stets die Familie war. So hat Cosima die Bayreuther Festspiele nach dem bedrohlichen Einschnitt von Wagners Tod 1883 überhaupt erst zu einer lebensfähigen Institution gemacht, deren Nimbus auch die heikelsten Zeitläufte überstand. Cosima – die »Markgräfin von Bayreuth«, wie Wagner sie halb im Scherz, halb im Ernst titulierte. Als er starb, mußte sie in der Tat wie einst Wilhelmine allen Aufgaben gewachsen sein, als Festspielchefin und Managerin, als Regisseurin und Erbverwalterin. Und wenn es unter ihrem rigiden Regiment in Bayreuth am Ende auch zu Erstarrungsprozessen kam – nach dem Motto »So hat es der Meister gewollt, und so ist es für alle Zeiten richtig« – und der weihevolle Kult um Wagner und sein Werk immer sektiererischere Züge annahm, so sind ihre Verdienste um die Festspiele doch unbestritten. Auch Siegfried Wagner, der Sohn, schlug sich als Festspielleiter beachtlich – bedenkt man, daß er mit der schweren Hypothek antrat, nicht nur der Sohn eines berühmten Vaters zu sein, sondern auch unter der Herrschaft einer mächtigen Mutter zu stehen. Obwohl weit entfernt davon, ein Rebell und radikaler Neuerer zu sein wie später sein

ältester Sohn Wieland, gewann er vor allem als Regisseur und Theatermann starke Autorität. Als Dirigent hatte Siegfried Wagner keinen extremen Ehrgeiz. Gute Kapellmeister, so seine Meinung, werde man immer finden – und es fanden sich Felix Mottl und Richard Strauss. Es sollte Siegfrieds Schicksal sein, daß er just vor der Premiere seines neuinszenierten *Tannhäuser* starb, mit dem er sich reformerisch am weitesten vorgewagt hatte. Dieser *Tannhäuser* von 1930 wurde unter der sensationellen Stabführung Arturo Toscaninis ein phänomenaler Erfolg. Auch unter finanziellen Aspekten, was auf dem Grünen Hügel keineswegs die Regel war. Man muß gar nicht an die Pleite des ersten Festspieljahres 1876 denken, das mit einem drastischen Defizit für Richard Wagner endete. Gelebt haben die Wagners übrigens – und das nicht schlecht – von den Tantiemen, die die Aufführungen seiner Werke zwischen Wien und Berlin, Paris und Chicago abwarfen. Die Bayreuther Festspiele wurden erst 1924 lukrativ, als man nennenswerte Überschüsse erwirtschaftete. Damit war es 1933/34 allerdings schon wieder vorbei, denn mit der Machtergreifung der Nationalsozialisten versiegte der Zustrom der internationalen Festspielbesucher. Aber da regierte ja schon Siegfrieds Witwe Winifred, und selbstverständlich ließ sich der neue Reichskanzler für seine alte Freundin etwas einfallen. Bald füllte die Organisation »Kraft durch Freude« die Lücken im Parkett, erst mit den sogenannten Arbeitern, dann mit Fronturlaubern und

Parsifal, **Gralstempel, 1882. Paul Joukowskys Bühnenbild blieb bis 1933 unverändert.**

Verletzten. Adolf Hitler selbst besuchte die Festspiele ein letztes Mal im Juli 1940. Durch die Verbindung mit dem Dritten Reich galten die Festspiele jedenfalls als so befleckt und korrumpiert, daß es nach Kriegsende nicht mehr viele gab, die sich einen Neuanfang überhaupt vorstellen konnten.

Aber der Neubeginn kam bereits 1951. Winifreds Söhne Wieland und Wolfgang erinnerten sich an das großväterliche Credo »Hier gilt's der Kunst« und konfrontierten die Musikwelt mit einer beispiellosen Entrümpelungsaktion, die Bayreuth künstlerisch revolutionierte und wieder Weltgeltung verschaffte.

Leere, ausgeleuchtete Räume und bei C. G. Jung entliehene tiefenpsychologische Deutungen brachten Traditionalisten und Alt-Wagnerianer aus der Fassung. Als Wieland Wagner 1956 die *Meistersinger von Nürnberg* als »Meistersinger ohne Nürnberg« auf die Bühne hob, wie Kritiker höhnten, wollte sich die Empörung überhaupt nicht mehr legen.

Seitdem hat es in Bayreuth, abgesehen von den endlos unterhaltsamen Streitereien im Familienclan, immer wieder vermeintliche Skandale gegeben. Götz Friedrichs *Tannhäuser* von 1972 schrieb auf diese Weise Wagner- und Bayreuth-Geschichte – und natürlich

Parsifal, Gralstempel, 1951. In der Neuinszenierung von
Wieland Wagner

der bereits erwähnte »Jahrhundert-
Ring« aus dem Jubiläumsjahr 1976.
Wer Bayreuth besucht, wird also auf
blitzende Degen gefaßt sein müssen.
Aber genau das macht ja den Reiz dieser Stadt aus, die wir nun auf fünf Spaziergängen und zwei Ausflügen genauer in Augenschein nehmen wollen.
Wagners muntere Bayreuth-Sentenz
im Kopf: »Wir pfeffern das Leben nur
so heraus.«

Erster Spaziergang
»Hier, wo mein Wähnen
Frieden fand ...«
Von Wahnfried
zum Jean-Paul-Museum

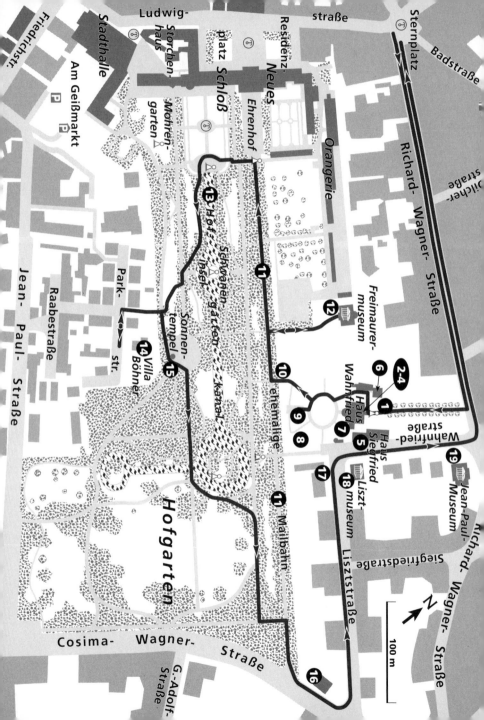

Unser erster Spaziergang führt uns zum Haus Wahnfried, Wagners berühmtem Bayreuther Wohnsitz, der mit seiner außerordentlichen Aura und Geschichte jeden Besucher in seinen Bann zieht. Von Wahnfried aus machen wir einen Rundgang durch den alten markgräflichen Hofgarten, der mit seinen Statuen, den idyllischen Teichen und dem Sonnentempelchen für Wagner ein steter Quell der Erholung und musikalischen Inspiration war. Vom Hofgarten aus führt uns der Weg zum Liszt-Haus mit den bewegenden Erinnerungen an den großen Klaviervirtuosen, Komponisten und Wagner-Freund, dann ins ehemalige Chamberlain-Haus, in dem Bayreuth heute »seinen« Dichter Jean Paul ehrt.

Ausgangspunkt für unseren Spaziergang ist der Sternplatz, von dem aus wir an der Hof-Apotheke vorbei in die Richard-Wagner-Straße einbiegen, die sich nach wenigen Gehminuten rechter Hand zum Haus Wahnfried hin öffnet.

❶ Büste König Ludwig II. von Bayern
Richard-Wagner-Straße 48

Mit seinem hellwachen Sinn für theatralische Inszenierungen hat Wagner die Auffahrt zu seinem Bayreuther Wohnsitz, der Villa Wahnfried, mit einer repräsentativen Kastanienallee geschmückt, die den Blick zwingend auf die vor dem Eingang plazierte Büste des jugendlichen Bayernkönigs Ludwig II. (1845–1886) lenkt. Die Kastanien sind heute verschwunden und durch Ahornbäume ersetzt, aber das

bronzene Brustbild des Königs in Überlebensgröße auf hohem granitenem Postament steht noch immer auf seinem Ehrenplatz. Sinnbild der Huldigung und des Dankes, den Richard Wagner seinem königlichen Gönner Ludwig II. schuldete, seit dieser ihn im Mai 1864 mit einer Generosität ohnegleichen aus seiner von Schulden und Mißerfolg gespeisten Misere gerissen hatte und ihn wieder an eine Zukunft für sich und sein Werk glauben ließ. Ludwig II. an Wagner:»Seien Sie überzeugt, ich will Alles thun, was irgend in meinen Kräften steht, um Sie für vergangene Leiden zu entschädigen. – Die niederen Sorgen des Alltagslebens will ich von Ihrem Haupte auf immer verscheuchen … Unbewußt waren Sie der einzige Quell meiner Freuden von meinem zarten Jünglingsalter an, mein Freund, der mir wie keiner zum Herzen sprach, mein bester Lehrer und Erzieher!« Wagner, ebenso euphorisch, dankte dem König mit »Thränen himmlischester Rührung« für die wundersame Erlösung aus der Not des Exils, der Verfolgung durch Gläubiger und sonstiger existentieller Bedrängnisse:»… dieses Leben, sein letztes Dichten und Tönen gehört nun Ihnen, mein gnadenreicher junger König: verfügen Sie darüber als über Ihr Eigenthum!« Und wenn die Königsfreundschaft auch später manch bitterer Krise ausgesetzt war, so stand für Ludwig II. in einem hellen Augenblick fest, daß er wohl nur König gewesen sei, um Wagner möglich zu machen. Es war offenbar Cosima Wagner, die weltläufige Tochter Franz Liszts, welche die Idee für die Kolossalbüste Lud-

wig II. hatte. Und Wagner griff sie so geschickt auf, daß der König selbst sie ihm zum 62. Geburtstag im Mai 1875 zum Geschenk machte. Die Büste, die den Bayernkönig in schönem jugendlichem Ernst zeigt, stammt von dem prominenten Wiener Bildhauer Caspar David Zumbusch, der so bedeutende Monumente wie das Maria-Theresia-Denkmal in Wien und das Denkmal Maximilian II. in München schuf. Auch die eleganten Marmorstatuetten der Wagnerschen Bühnenhelden, die in der Halle der Villa Wahnfried stehen, sind von seiner Hand. »Der einfache strenge Stil des Denkmals«, so Zumbusch, »wird auch mit dem des Hauses harmonieren.« Er hatte recht.

❷ Wahnfried-Inschrift
»Hier, wo mein Wähnen Frieden fand – Wahnfried – sei dieses Haus von mir benannt.« Auf drei Marmortafeln ist die weltberühmte Inschrift in goldenen Lettern an der Vorderseite Wahnfrieds eingraviert. Der prachtvolle, in warmem Sandstein errichtete Bau war bereits vollendet, als man die Tafeln an der Fassade des Hauses anbrachte. »Am Nachmittag sagte mir R.«, so steht es am 4. Mai 1874 in Cosimas Tagebüchern – und mit »R.« ist dort stets Richard Wagner gemeint –, »ich hätte immer gewünscht, daß er das Haus taufe, nun habe er einen Namen für dasselbe, ›Wahnfriedheim‹, in Hessen gäbe es einen Ort Wahnfried, es habe ihn so mystisch berührt, diese

Wagners Mäzen Ludwig II., um 1865

Zusammensetzung der beiden Worte, und wie das Gedicht von Goethe, was nur zu dem Weisen gesprochen sei, so würde nur der Sinnige ahnen, was wir darunter verstehen.« Noch 1872 hatte es bei Cosima geheißen: »... seine alte Sehnsucht, soll sie nie befriedigt werden?« Aber dann fand der ewig Ruhelose hier in Bayreuth doch seine Heimat, seine Machtzentrale, sein letztes Refugium. Und folgerichtig wurde Wahnfried zum Synonym für alle Herrschaftsansprüche und Aktivitäten des Wagner-Clans.

❸ Wahnfried-Sgraffito
Mit der bedeutungsvollen Inschrift war es für Wagner aber offenbar noch nicht getan. Er schmückte die ohnehin durch ihren Vorbau schon eindrucksvolle Fassade von Wahnfried zusätzlich mit einem monumentalen Sgraffito-Gemälde. Nach seinen eigenen Angaben war es als Allegorie auf das »Kunstwerk der Zukunft« gedacht. Der Dresdner Historienmaler Robert Krauße, mit Wagner seit längerem befreundet, führte das im Grisaille-Ton auf hellem Grund gemalte Sgraffito aus. Eine Idee Cosimas.
Cosima figuriert auf dem Sgraffito denn auch als Sinnbild der Musik – zur Rechten des Wanderers Wotan, der für den germanischen Mythos steht. Zur Linken Wotans erscheint die von Wagner früh bewunderte Sängerin Wilhelmine Schröder-Devrient als Symbol der griechischen Tragödie. Wotan trägt die Züge des von Wagner über alles geliebten Dresdner Sängers Ludwig Schnorr von Carolsfeld. Auch

»Kunstwerk der Zukunft«: Sgraffito über dem Eingang von Haus Wahnfried

Wagners Sohn Siegfried bekam seinen Sgraffito-Auftritt: »... ein kleiner Knabe, als Siegfried gewappnet, mit dem Kopf meines Sohnes« blickt an der Hand Cosimas »mit muthiger Lust zur Mutter Musik auf«. So der stolze Vater, der bei der Darstellung der mythischen Figuren auf lebensnahe, »charakteristische Physiognomien« drang. Ludwig Schnorr von Carolsfeld hatte auf Wagner bereits als Lohengrin in Karlsruhe unauslöschlichen Eindruck gemacht. Das dämonische Feuer dieses Sängers mit der vollen, weichen und glänzenden Stimme machte ihn für Wagner auch zum idealen Tristan. Er hatte ihn bereits zu seinem *Ring*-Siegfried erkoren, als der Sänger unerwartet starb.

Mit Krauße mußte Wagner übrigens hart um die Kopfbedeckung für seinen Sgraffito-Wotan kämpfen. Krauße wollte partout einen Helm für den germanischen Gott, Wagner aber bestand auf einem Hut, für dessen Form schließlich Holbein und die eigene Phantasie herhalten mußten. Die Ausstattung Schnorrs als Wanderer mit Schlapphut, weitem Umhang, Speer und Sandalen sollte zum Vorbild für unzählige Wotan-Wanderer auf der Bühne werden.

❹ Haus Wahnfried
Das symbolträchtige Sgraffito, die Inschrift und die Ludwigbüste haben es schon klargemacht: Wahnfried, dessen Bau Ludwig II. kräftig mitfinanzierte, war nicht nur als reines Privathaus, als Wohnsitz für die Familie und Komponierwerkstatt gedacht.

Mit Wahnfried entstand nach Wagners Entwürfen aus der Tribschener Exilzeit auch ein Repräsentationsbau mit unübersehbarer kulturpolitischer Signalwirkung. Eine Künstlervilla von ganz eigener und eigenwilliger Gestalt, die bald kopiert werden sollte. Nach den Hungerjahren in Paris, den mageren Kapellmeisterzeiten in Dresden, der überstürzten Flucht aus den Revolutionswirren und dem Schweizer Exil nahm Wagner hier denn auch in seiner letzten Lebensperiode, also von 1874 an, »wie ein Fürst der Musik seines Jahrhunderts die Huldigungen anderer Berühmtheiten seines Zeitalters entgegen«, wie Wagner-Enkel Wieland es formulierte.

Und wenn man Wahnfried über die Freitreppe betritt und durch das Vestibül in die große Halle und den zum Garten sich öffnenden Saal blickt, spürt man sofort die enorme Sogkraft dieses Hauses, in dem Wagner eben nicht nur lebte, komponierte, musizierte und monologisierte, sondern

Richard Wagner in Wahnfried. Von li.: Cosima Wagner, Richard Wagner, Franz Liszt und Hans von Wolzogen, 1882

Siegfried Wagner als »Jung-Siegfried«   **Isolde Wagner im »Isolden«-Kostüm**

auch in keineswegs bescheidenem Stil Hof hielt wie kein anderer deutscher Musiker seiner Epoche. Allein die Berichte der zeitgenössischen Wahnfried-Besucher über die Empfänge, Festivitäten und Soireen vor allem während der Festspielzeit 1876 zum ersten geschlossenen *Ring*-Zyklus und dann wieder 1882 zur Uraufführung des *Parsifal* geben den lebhaftesten Eindruck vom erregenden Reiz dieser frühen Wahnfried-Events. Friedrich Nietzsches Schwester Elisabeth, mit Bruder »Fritz« 1876 nach Bayreuth gereist, sah mit Staunen, wie und wer alles nach Wahnfried drängte. An einem der Festspieltage gaben allein 500 Menschen ihre Visitenkarten in Wahn-

fried ab, so daß Wagner Sammelaudienzen abhalten mußte.

In der hellen, durch ein Glasdach mit natürlichem Tageslicht gespeisten Halle fanden im Vorfeld der ersten Bayreuther Festspiele auch die Proben mit den Sängern statt. Hier, wo vor dem pompejanischen Rot der Wände Zumbuschs Tristan, Tannhäuser und Lohengrin neben der Ludwigbüste und den Büsten Cosima und Richard Wagners glänzen, feierte man zudem wichtige Familienfeste. Hier führten die Wagner-Sprößlinge zu Geburts- und Feiertagen mit Gusto selbstverfertigte theatralische Huldigungstücke auf.

Beim »Maienfestspiel« 1878 zu Wagners Geburtstag etwa erschien der neunjährige Siegfried, Wagners einziger Sohn, als Jung-Siegfried mit Pelz und Schwert angetan und trällerte keß: »Ich bin der Mai, ich bin das Glück!« Tochter Isolde als flammender Loge mit listig lauerndem Blick flötete: »Wo flackerst Du Flüchtiger hin.« Und Daniela, ganz träumende Erda: »Da soll ich mich freuen, Nachtsichtige ich?« Der *Ring* en famille, wie ihn uns Wagner-Intimus Hans von Wolzogen überliefert hat.

Heute sind in der Halle die bei den er-

Gruppenbild mit Kindern und Hunden. Oben von li.: Blandine von Bülow, Heinrich von Stein, Cosima und Richard Wagner, Paul von Joukowsky. Unten: Isolde Wagner, Daniela von Bülow, Eva und Siegfried Wagner, 1881

Luxus im Stil der Gründerzeit: der Saal von Wahnfried mit Bibliothek

sten Festspielen 1876 verwendeten »Nibelungen-Pauken« aufgestellt, der braune Flügel von Breitkopf & Härtel aus der *Tannhäuser-* und *Tristan-*Kompositionszeit und ein »Piano-Sekretär«, ein praktisches musikalisches Möbel, Schreibtisch und Klavier zugleich, das Ludwig II. Richard Wagner 1864 zum Geburtstag verehrte. Spektakulärer noch als die Halle mit dem farbigen *Nibelungen-*Fries und der hohen umlaufenden Galerie ist freilich der Saal mit seiner Rotunde, der heute als Konzert- und Vortragssaal dient. Hier kann, wer Lust hat, Ausschnitte aus historischen Wagner-Aufnahmen hören und damit Erkenntnisse über Ursprung und Entwicklungen des Wagner-Gesangs und die Geschichte der Wagner-Interpretation sammeln.

Der Saal selbst ist ein imposanter, festlich zum Garten hin sich öffnender Raum. Er wurde im Zweiten Weltkrieg fast vollständig zerstört, aber 1975/76 weitgehend originalgetreu hergerichtet. Seitdem Wahnfried Museum ist, steht hier auch wieder die von Wagner-Enkel Wolfgang so virtuos über den Zweiten Weltkrieg gerettete Wagner-Bibliothek, in der alles versammelt ist, was den Komponisten und Schriftsteller Wagner geistig umtrieb, woraus er sein Wissen, seine Überzeugungen, seine Ideen bezog. Die Werke Schopenhauers, Kants, Klopstocks, Shakespeares, Goethes und Jean Pauls, die griechischen und römischen Klassiker, die großen Franzosen und Italiener, die Minnesänger, Untersuchungen zur preußischen Geschich-

Empfang in Wahnfried, 1882, mit Franz Liszt am Flügel. Gemälde von Georg Papperitz

te, zur italienischen Architektur etc. Alles mit Sorgfalt von Wagners Bayreuther Buchbinder Christian Senfft in Leder gebunden. Dazu die Ausgaben der Werke Bachs, Händels, Mozarts, Beethovens, Mendelssohns, Halévys, Spontinis und Berlioz', an die sich Wagners eigene Werke wie selbstverständlich anschließen. Eine Sammlung, die nicht nur das enorme Bildungsspektrum Wagners verrät, sondern natürlich auch biographisch, zeit- und werkgeschichtlich von unschätzbarem Wert ist.

Der vor weinroten Vorhängen plazierte dunkelbraune Steinway-Flügel hatte ursprünglich wohl in der Halle seinen Platz, im Saal stand dagegen der von Wagner so geliebte und jahrelang herumgeschleppte Erard, der heute Wagners schweizerisches Asyl in Tribschen ziert. Wie durch ein Wunder blieb der alte Steinway im Zweiten Weltkrieg erhalten. Denn als die Bombe auf Wahnfried niederging und den Saal zerstörte, wurde der Flügel durch den Luftdruck wie von magischer Hand vier Meter von seinem Platz in den Raum geschoben und auf diese Weise gerettet. So bleibt auch die Erinnerung an Franz Liszt (1811–1886) wach, der hier – zur Genugtuung Wagners – Bach und Beethoven spielte, aber auch seinen *Mephisto-Walzer*, was Cosima und Richard weniger ergötzt haben soll.

Im Saal ist heute auch wieder ein Teil der alten Gemälde zu sehen, von denen die Porträts Cosimas, Wagners und Liszts von Franz von Lenbach besondere Aufmerksamkeit verdienen. Lenbach verdanken wir im übrigen auch das zart-verhangene Pastellporträt Cosimas in den oberen Räumen, das Wagner nach eigenen Worten stets mächtig anzog: »Das sieht mich geisterhaft an, ermahnt mich zu allem Ernsten und Guten.« Die wiedererstandene Wagner-Bibliothek, die Gemälde und die rekonstruierte Kassettendecke geben dem Raum jedenfalls einen Teil seiner einstigen Ausstrahlung zurück. Wie der Saal zu Richards und Cosimas Zeiten wirklich ausgesehen hat, wie er möbliert und ausstaffiert war, ist heute nur noch anhand von emphatischen Beschreibungen der Zeitgenossen, Gemälden und vor allem Fotos aus der Zeit nachzuvollziehen, die denn auch ahnen lassen, wie suggestiv dieses Wahnfried schon früh gewirkt haben muß und wie es zum Mekka der Wagnerianer werden konnte.

Franz von Lenbach,
Cosima Wagner, 1870

US-Besatzungssoldat,
1945 am Flügel im Saal

Natürlich: Das Interieur war von viel Plüsch und gründerzeitlichem Bombast, Seidentapeten und samtenem Faltenwurf bestimmt. In diesem Sinne war Wahnfried nicht nur ein Spiegel von Wagners oft gegeißeltem Hang zu Luxus und Selbstbespiegelung, es war auch der Reflex auf den herrschenden Stileklektizismus der Zeit. Susanne Weinert, die 1875/76 Kinderfrau im Hause Wagner war, hat den Saal mit seinem reichen »Möblement in ungezwungener, geordneter, genialer Unordnung« eindringlich beschrieben: »Hier in einer lauschigen Ecke ein mit gelbem Atlas überzogener Fauteuil. Dort eine carmesinrote Causeuse, in deren weichem Polster man förmlich versinkt; dem Kamin gegenüber erblicken wir ein reizendes kleines Sofa mit buntgemustertem Seidendamast überzogen, davor ein ovales Tischchen mit lang herabhängender himmelblauer Atlasdecke … dazwischen lugen hervor kleine Tischchen, Puffs und Stühle in mannigfacher Gestalt, ein Blumentisch, reich vergoldet, mit köstlichen exotischen Pflanzen und über dem allen schwebt von dem Plafond herab ein prachtvoller Kronleuchter, welcher abends mit seinem strahlenden Lichte diesem bunten Gemenge einen anheimelnden Glanz verleiht.« Soweit der scharfe Gouvernantenblick.

Nach der Halle, dem Saal und dem Lila Salon, in dem Cosima ihre Gäste empfing und ihren Vater Franz Liszt logieren ließ, steigen wir nun in die Räume des Zwischen- und Obergeschosses hinauf, die einst Kinder-, Schlaf- und auch Arbeitszimmer waren und seit 1976 das exzellent aus-

gestattete Richard-Wagner-Museum beherbergen. Spannender und unterhaltsamer als in diesen Räumen kann man kaum aufgeklärt werden über Richard Wagners Leben, Ideen und Werk und über die wechselvolle Geschichte der Festspiele samt ihren einflußreichen Protagonisten. Am anrührendsten nicht nur für Wagnerianer dürfte das zerschlissene Sterbesofa Wagners aus dem Palazzo Vendramin in Venedig sein, das heute mit einer Glaswand abgeschirmt ist, weil sich zu viele »Pilger« ihre Fädchen herausgezupft haben.

Unten, im Kitsch- und Kuriositäten-Kabinett von Wahnfried, geht's weniger erhaben zu. »O Cosel! O Cosel! Du meines Herzens holdes Getosel!« reimte Wagner vergnügt auf die Plat-

Der Saal in Wahnfried in seinem ursprünglichen Zustand

Das Siegfried-Haus mit den Erweiterungsbauten von 1932

te von Cosimas Reise-Schreibnecessaire. Auch das mittlerweile steinharte »Gralsbrot« aus dem berüchtigten Café Sammet amüsiert eher, als daß es Andacht weckt. Es sieht aus wie ein schmutziger alter Schwamm.

Vergessen sei nicht, daß im Tresor von Wahnfried fest verschlossen kostbarste Inkunabeln der Musikgeschichte lagern: die Originalpartituren von *Tristan, Fliegendem Holländer, Lohengrin, Siegfried, Götterdämmerung* und *Parsifal.*

❺ Siegfried-Haus

Das mit Wahnfried linker Hand verbundene Siegfried-Haus, in dem sich heute Museumsverwaltung, Nationalarchiv und Forschungsstätte der Richard-Wagner-Stiftung befinden, hat eine schillernde Geschichte. Es war nicht nur das Junggesellenheim von Richard Wagners einzigem Sohn Siegfried. Es nahm neben dem berühmten italienischen *Parsifal*- und *Tristan*-Dirigenten Arturo Toscanini, neben Richard Strauss und Siegfrieds Witwe Winifred auch Adolf Hitler auf.

Das ursprünglich schlichte Nebengebäude hatte Richard Wagner 1878 zu Wohn- und Studierzwecken umbauen lassen, erst für seinen Sohn und dessen Erzieher, dann für Anton Seidl, einen seiner *Nibelungen*-Kopisten, der zusammen mit anderen Jungmusikern die Rein- und Abschriften der *Ring*-Partituren für Wagner herstellte. Fünfzehn Jahre später gestaltete Siegfried das Ganze zu einer zweigeschössigen Villa in italienischem Neo-Renaissancestil um, die über einen Zwischenbau direkt an Wahnfried angeschlossen wurde.

Siegfrieds Tochter Friedelind hat berichtet, wie sie sich als Kind im Arbeitszimmer unter dem Liszt-Flügel versteckte, um ihrem geliebten Vater heimlich bei der Arbeit zuzusehen: »... besonders in diesen Raum flüchtete sich Vater, wenn er allein sein wollte. Dort standen seine Lieblingsmöbel ..., die Gegenstände, die er lieb-

te ... An den Wänden hingen Gemälde, Zeichnungen und Stiche ... viele Stiche stellten römische Straßen dar, Tempel, Ruinen und sonstige antike Gebäude. Ursprünglich hatte Vater Architekt werden wollen und hatte ganze Zeichenblocks mit Plänen einer Traumstadt, die er ›Wankel‹ nannte, gefüllt.«

Nachdem Winifred das Haus um drei Gästezimmer hatte erweitern lassen, sollten mit den Besuchen Hitlers und dessen Entourage ab 1936 andere, unheimlichere Szenen das Siegfried-Haus prägen. Doch bevor »Onkel Wolf« kam, wie Richard Wagners Enkel Hitler nannten, war 1931 mit Arturo Toscanini (1867–1957) einer der größten Pultstars seiner Zeit im Sieg-

Noch friedlich vereint: Alexander von Spring, Wilhelm Furtwängler, Heinz Tietjen, Winifred Wagner und Arturo Toscanini (von li.) im Festspieljahr 1931

Winifred Wagner begrüßt Adolf Hitler in Wahnfried

Hitlers alljährlicher Empfang für die Festspielkünstler in Wahnfried

Heinz Tietjen, Winifred Wagner und
Richard Strauss (von li. nach re.), 1933

fried-Haus zu Gast. Jeden Morgen
nahm Toscanini sein Frühstück, so
wiederum Friedelind, auf der kleinen
Veranda ein, die Winifred Wagner eigens für den sonnenhungrigen Italiener mit Glas hatte überdachen lassen.
»Toscaninis türkisches Bad«, spottete
Wieland. Toscanini hatte Bayreuth in
den schwierigen Zeiten nach Siegfrieds plötzlichem Herztod während
der Festspiele 1930 als phänomenaler *Tannhäuser-* und *Tristan*-Dirigent
wahre Triumphe und zudem enormen
finanziellen Erfolg beschert.
Als Toscanini 1933 Bayreuth wegen
der antisemitischen Umtriebe im Dritten Reich empört den Rücken kehrte,
zog als »Einspringer« Richard Strauss
(1864–1949) ins Siegfried-Haus. Dessen Vater Franz Joseph, der brillante
Hornist des Münchner Hoforchesters,
hatte bereits 1882 im Bayreuther *Parsifal*-Uraufführungs-Orchester gesessen, während sich Sohn Richard trotz
seiner Erfolge als Komponist unter
Cosima erst einmal mühsam hochdie-
nen mußte, ehe er 1894 als *Tannhäuser*-Dirigent für Bayreuth-reif gehalten
wurde. Cosima, die den Komponisten

Strauss nicht schätzte, dazu mokant:
»Ei, ei, so modern, und dirigiert doch
den Tannhäuser so gut.« Strauss hatte
inzwischen Pauline de Ahna geheiratet, die 1891 und 1894 die Elisabeth in
Bayreuth sang. Als Cosima der jungen
Frau Strauss beim Tee das Kompli-
ment machte, da habe sie mit Richard
Strauss ja einen schönen Fang gemacht, konterte Pauline: »Ja mei, un-
sereiner is a net auf der Brennsupp'n
daherg'schwommen!«
Adolf Hitler hatte schon mehrere Bay-
reuth-Besuche hinter sich, als er 1936
erstmals und dann bis 1939 in dem
nun mit brauner Täfelung und Neuer
Sachlichkeit protzenden Siegfried-Bau
Quartier nahm. 1923, bei der ersten
Bayreuth-Visite, hatte er noch im Goldenen Anker logiert, später in der
Parkstraße (vgl. S. 41). Wie dort führte er auch als Gast im Siegfried-Haus
seinen eigenen Haushalt mit, so daß
man bald nur noch vom »Führerbau«
sprach. Winifred sollte sich später erinnern: »… und eines schönen Tages
ist also auch Adolf Hitler hier als Besucher erschienen und betrachtete die
Räume mit großem Wohlgefallen und
sagte mir dann, ja, seitdem ich dieses
Haus sehe, da gefällt mir der ganze
Obersalzberg nicht mehr. Na, also ich
kannte ihn ja verhältnismäßig gut,
das war im Jahr 36 und da sagte ich,
›Sie möchten wohl am Ende gern hier
wohnen‹. ›Ach‹, sagte er, ›wenn das
möglich wäre, das wäre ja herrlich.‹«
Im Musikzimmer des »Führerbaus«
fanden nach den Premieren auch Hitlers »Künstlerempfänge« statt. Besonders amüsant können sie nicht gewesen sein. Friedelind: »Erst saß der

Wolfgang und Wieland Wagner (re.) vor der 1945 zerstörten Villa Wahnfried

Führer unter den Künstlern, da er aber eine normale Unterhaltung nicht ertragen konnte, sprang er bald auf und verwandelte die zwanglose Unterhaltung in eine zweistündige Rede über weltanschauliche und künstlerische Probleme.«

Mit Ende des Zweiten Weltkriegs beschlagnahmten die Amerikaner das im Gegensatz zu Wahnfried unzerstörte Siegfried-Haus und funktionierten es erst zum Verhörraum und dann, so Wolfgang Wagner, zum Offiziersklub und Bordell um. Am 23. Juni 1957 zog Winifred Wagner in die alte Siegfried-Dependance ein und lebte dort bis zu ihrem Tod 1980, nicht ohne vorher der

Nachwelt in Hans Jürgen Syberbergs spektakulärem Dokumentarfilm *Winifred Wagner und die Geschichte des Hauses Wahnfried 1914–1975* noch einmal mit ungebrochener Starrköpfigkeit ihre Sympathie für den »Freund« Adolf Hitler kundzutun. Der Film dauerte fünf Stunden und platzte – obwohl in Paris uraufgeführt – wie eine Bombe in die Bayreuther Festspiele des Jahres 1975.

Um zum Garten von Wahnfried zu gelangen, gehen wir rechts um die Villa herum, vorbei am ehemaligen Gärtnerhäuschen.

❻ Gärtnerhaus

Ins Gärtnerhäuschen, in dem heute der Hausmeister des Museumskomplexes Wahnfried wohnt, hatte sich Wagner-Enkel Wolfgang, seit 1966 alleiniger Chef der Bayreuther Festspiele und mit außerordentlicher Umsicht operierender Herr auf dem Grünen Hügel, kurz nach dem Ende des Zweiten Weltkriegs einquartiert. Während sein älterer Bruder Wieland in der behelfsmäßig reparierten Villa Wahnfried residierte, bezog Wolfgang »mit Frau und Tochter Eva vier kleine Zimmer, mit einer Fläche von insgesamt 42 Quadratmetern, im Obergeschoß des Gärtnerhauses von Wahnfried, die früher den Dienstmädchen als Wohnung gedient hatten«, wie er in seiner 1994 erschienenen Autobiographie

»Enfant terrible« Friedelind Wagner

Lebens-Akte schreibt. »Ein Sohn kam mit der Geburt Gottfrieds am 23. September 1947 auch noch mit in unsere Behausung.« Dieser Sohn sollte sich später mit seinem Pamphlet *Wer nicht mit dem Wolf heult* offen gegen den Vater und die seiner Meinung nach unbewältigte NS-Vergangenheit der Bayreuther Festspiele wenden.

Auch Wolfgangs ältere Schwester Friedelind wohnte zeitweilig im Gärtnerhäuschen. Sie galt in der Familie als schwarzes Schaf und Rebellin, die denn auch – gegen Hitler agitierend – 1939 nach London, dann nach New York ins Exil ging, wo Toscanini sie unter seine Fittiche nahm. Friedelinds Buch *Nacht über Bayreuth*, 1944 in New York als sarkastische Abrechnung mit dem Bayreuth der NS-Zeit geschrieben, war nicht nur für ihre Familie, sondern auch für viele Wagnerianer ein Schock. 1959 gründete sie, wieder in den Clan aufgenommen, mit Hilfe ihres Bruders Wieland die Bayreuther Festspiel-Meisterklassen. Als unverbrüchliche Vater-Tochter wurde sie 1975 Präsidentin der Internationalen Siegfried-Wagner-Gesellschaft, die sich die Rehabilitierung von Siegfrieds reichem Opernwerk auf die Fahnen schrieb.

Im Gärtnerhaus soll Richard Wagner während des Baus von Wahnfried einmal mit dem Nürnberger Malermeister Maurer und dessen Mitarbeitern derart zusammengeprallt sein, daß er sich ihren Handgreiflichkeiten nur durch Flucht über die Treppe entziehen konnte. Auch mit seinem Bayreuther Baumeister Carl Wölfel war er immer wieder aneinandergeraten.

»Viel Ärger mit dem Hause«, seufzte Cosima 1873. Es dauerte nicht lange, und Wagner nannte sein Domizil »Ärgersheim«.

Im Garten stand zu Wagners Lebzeiten nicht nur ein Pavillon, sondern – hinter dem Siegfried-Haus – auch ein Gewächshaus. Beide sind längst abgerissen, aber auf alten Fotos und Zeichnungen, die im Nationalarchiv der Richard-Wagner-Stiftung liegen, noch gut zu erkennen.

❼ Gewächshaus

Das einstige Gewächshaus im Garten von Wahnfried muß Cosima besondere Genugtuung verschafft haben. Am 16. Oktober 1873 notiert sie jedenfalls: »Besuch im neuen Haus, das Treibhaus ist eingerichtet, eine tiefe Freude für mich die schönen Blätterpflanzen.« Und noch einmal am 10. Januar 1874: »Im Gewächshaus geschrieben, bei glänzendem Sonnenschein, unsäglich beruhigender Aufenthalt, kein Buch der Welt kann, glaube ich, so wohl tun wie diese grünen Blätter, die sich mir wie schmeichelnd streichelnd entgegen strecken.« Wagner sekundiert ihr mit leicht ironischem Ton: »Ja, das sind unsere Naturfreuden, uns Nordischen, wie im Gefängnis, wo ein erblühendes Veilchen das Herz des Gefangenen entzückt und mehr wirkt als die ganze Natur auf den Freien.«

❾ Sommerpavillon

Den Pavillon im linken hinteren Teil des Wahnfried-Gartens, der in Cosimas Tagebucheintragungen auch als »Sommerhäuschen« figuriert, nutzten Cosima und Richard bei schönem Wetter als Ruhe-, Lese- und Frühstücksplatz. »Morgenkaffee im Sommerhäuschen«, heißt es lapidar im Juni 1874. Auch ansonsten genießt die Familie Wagner den Garten mit seinem Springbrunnen-Spaß. »Eine anmutige Stunde unter allerlei Tierscenen – Tauben, die sich tränken, Hunde, die sich balgen, Amseln, die traulich auf dem Rasen hüpfen«, so zeichnet Cosima das Idyll im Tagebuch nach. In dem von Wagners geliebten Pfauen bevölkerten Garten fanden auch ausgelassenste Kinderfeten und andere sommerliche Feiern statt. Eine blieb dabei in besonderer Erinnerung: das pompöse »Rosenfest« für Wagners erste Bayreuther Brünnhilde und Kundry, die Sopranistin Amalie Materna. Richard Fricke, Bayreuths Choreograph, der im Hause Wahnfried auch Tanzunterricht gab, hatte es arrangiert. Er erinnert sich: »Am Garteneingang war ein Rosensitz erbaut … Zuerst kam ich mit 16 weißgekleideten Kindern, welche im Hochzeitszug (Götterdämmerung) beschäftigt sind … Dann kamen Herren und Damen vom Chor, die darstellenden Künstler und Künstlerinnen, schließlich das von Wagner angeführte Orchester. Nach Anordnung von Frau Cosima hatte ich eine kleine Rede zu halten. Es folgten nun die übrigen, alle gaben ihre Rosen ab. Es sah prächtig aus, dieser Rosenregen vom ganzen

Orchester. Ein Hoch mit einer humoristischen Rede von Wagner schloß die Feier. Angermannsches Bier wurde an verschiedenen Stellen im Garten verzapft.« Es folgten die Illumination des Gartens, ein Fackelzug und ein Feuerwerk. Für alles war gesorgt. Wie wir sehen werden – selbst für die Ewigkeit.

❾ Wagners Gruft

Schon zu seinen Lebzeiten hatte Wagner Wahnfried auch zum Ort seiner und Cosimas letzter Ruhe bestimmt und in einem frisch gepflanzten Wäldchen »zwischen Gebüsch und Cypres-

Die geöffnete Gruft während der Beisetzung Wagners, 1883

sen« seine künftige Grabstätte ausheben lassen, so als habe er den nach seinem Tod einsetzenden Pilgerstrom von Wagnerianern aus aller Welt vorausgeahnt. Die Vorstellung vom Tode war Richard wie Cosima offenbar kein Schrecken. »Uns ist der Gedanke unsäglich wohltuend, die Stätte genau zu kennen und täglich zu pflegen, die uns zu göttlicher Ruhe empfangen soll«, heißt es in Cosimas Tagebuch. Immer wieder sprechen die beiden von der Gruft. »Ich wollte, ich läge schon drinnen«, wird Richard einmal zitiert, als ihn die Sorgen um die Festspiele niederdrücken. Ein anderes Mal nimmt er's gelassener. Cosima: »R. guter heiterer Laune erzählt von unserem Grabe, wie er dies entworfen und zuerst nun Mäuse, Ratten hineingeraten: ›Ja, wer sich eine Grube gräbt, dem fallen die anderen hinein‹«. Die mächtige Granitplatte über seinem Grab hatte Wagner bewußt ohne jede Namensgravur gelassen. Man mußte wissen, wer hier ruht. Daß man dies auch als ein Zeichen höchster Arroganz werten kann, die sich freilich wie Demut zur Schau stellt, hat der Schriftsteller Erich Kuby zu Recht bemerkt. Wagner wurde am 18. Februar 1883 in der Wahnfried-Gruft bestattet, nachdem die Leiche von Venedig nach Bayreuth überführt und vom Bahnhof aus in feierlichem Zug nach Wahnfried geleitet worden war. Das Begräbnis im Garten war still und einfach. Ein kirchlicher Segensspruch, keine Rede, so berichtet Siegfrieds Privatlehrer, Baron Heinrich von Stein, in einem Brief an Malwida von Meysenbug (1816–1903). Cosima, die sich da-

Der Trauerzug mit der Leiche Richard Wagners vor dem Bayreuther Bahnhof

mals die Haare abschnitt und dem Toten in den Sarg legte, starb erst 47 Jahre nach Wagner, am 1. April 1930. Sie wurde 92 Jahre alt. Die Urne mit ihrer Asche ließ man an Richards Seite in die Grabstätte ein. Zur Festspielzeit bedecken alljährlich Blumen und Kränze die efeuumrankte Gruft.

Rechts von Wagners Grab liegt Russ begraben, der von ihm so geliebte Neufundländer. Eine Steintafel verkündet noch heute: »Hier ruht und wacht Wagners Russ.« Auch seinen anderen Hunden und seinen Papageien hatte er am hinteren Gartenzaun eigene Gedenksteine setzen lassen, Zeugnisse seiner von keiner Egozentrik getrübten Liebe zu den Tieren. »Unsern guten Faf und Frisch«, stand auf der einen Tafel, auf der anderen »Hier

ruht: Wahnfrieds treuer Wächter und Freund, der gute schöne Marke.«

❿ Pforte zum Hofgarten

Die eigene Gartenpforte, durch die man hinter der Gruft direkt in den Hofgarten gelangt, hatte sich Wagner gegen alle Widerstände der Bayreuther eigens von Ludwig II. erbitten müssen. Bayerns König gewährte seinem Protegé auch dieses Privileg, und zwar 1874 als Geburtstagsgeschenk. Wenn es den leidenschaftlichen Spaziergänger Wagner also nicht zur Eremitage, nach Fantaisie oder zur Waldhütte trieb (vgl. S. 124, 155, 159), machte er gern lange Gänge im schattig schönen Hofgarten, für die er laut Cosima sogar immer neue Strategien erfand, um nicht mit ihr ein und denselben Weg zweimal gehen zu müssen.

Der Hofgarten war Anfang des 17. Jahrhunderts aus einem reinen Nutzgarten in einen höfischen Lustgarten verwandelt worden. Zuerst in französischem Stil konzipiert, mit freilich rokokohaft intimeren Zügen, hatte Markgraf Carl Alexander ihn am Ende des 18. Jahrhunderts nach »engelländischer Art« umzugestalten versucht. Doch viele barocke Relikte blieben. Für Wagner war der Hofgarten mit seinem wunderbaren alten Baumbestand, seinen Alleen und seiner bunt schwirrenden Vogelwelt ein immerwährender Inspirationsquell, vor allem auch während der Komposition des *Parsifal*. »R. geht aus, immer nur in den Hofgarten, der nun mit ›Parsifal‹ ganz verwoben ist«, schreibt Cosima 1879.

Wir gehen nun durch die Ludwig II. abgetrotzte Gartenpforte in den Hofgarten, dieses Reservoir an Stille, Schatten und bewegter Geometrie, und landen direkt auf der alten höfischen Mail-Bahn.

⓫ Ehemalige Mail-Bahn

Im 18. Jahrhundert vergnügte sich der markgräfliche Hof auf dieser schnurgeraden Strecke mit dem beliebten Mail-Spiel, einer Art Krocket, bei dem man mit einem hölzernen Schläger, dem Mail, eine Holzkugel vor sich her in einen kleinen Drahtkorb trieb. Die Mail-Bahn war 1679 von Markgraf Christian Ernst angelegt worden und reichte bis weit in die Landschaft hinaus. Heute von Eichen gesäumt, war die Allee bereits vor Wagners Bay-

reuther Zeiten mit Eschen bepflanzt, die er und die Bayreuther besonders liebten.

Wir biegen auf der Allee nach rechts ein und stoßen nach wenigen Metern auf die breite Eingangspforte zum Sitz der Bayreuther Freimaurerloge »Eleusis zur Verschwiegenheit«. Hier befindet sich auch das Freimaurer-Museum.

⓬ Freimaurer-Museum
Im Hofgarten 1

Die Bayreuther Freimaurerloge »Eleusis zur Verschwiegenheit« hat eine beachtliche Tradition. Schon 1741 hatte Markgraf Friedrich, der Gemahl Wilhelmines, gemeinsam mit seinem Geheimen Rat und Leibarzt Dr. Daniel von Superville die Schloßloge gegründet, kurz nachdem er selbst vom preußischen Kronprinzen und späteren König, Friedrich dem Großen, in den Kreis der Freimaurer aufgenommen worden war. Nur wenig später etablierte sich neben dem elitären Zirkel der Schloßloge eine Stadtloge, in die außer Adeligen auch Bürgerliche Eintritt fanden. Belegt ist die Mitgliedschaft Johann Pfeiffers, des Kompositionslehrers von Markgräfin Wilhelmine, sowie des Hofpredigers Johann Christian Schmidt. 1753 vereinigten sich die beiden Logen.

Auch Wagners wichtigster Bayreuther Wegbereiter, der Bankier Friedrich Feustel, gehörte der Freimaurerloge an, der er lange Jahre als Großmeister vorstand. Bald nach seiner Übersiedlung nach Bayreuth hatte sich Wagner offenbar um die Aufnahme in die Loge bemüht. Dort hatte man seine Mitgliedschaft jedoch nicht für opportun gehalten, allein schon wegen der scharfen antisemitischen Äußerungen in seiner 1869 wiederaufgelegten Schrift *Das Judentum in der Musik*. So soll ihm der realistische Feustel denn auch abgeraten haben, sein Gesuch um Aufnahme überhaupt einzureichen.

Das im Stil der Gründerzeit erbaute Bayreuther Logenhaus in unmittelbarer Nachbarschaft zur Villa Wahnfried wurde 1881 unter Feustels Ägide erbaut. Von den Exponaten des Museums sind natürlich die von besonderem Interesse, die noch in Verbindung zur markgräflichen Zeit stehen. Das Originaldokument, das die Aufnahme des Markgrafen Friedrich in die Loge belegt, ist allerdings im Krieg verschollen, es existiert nur noch eine Kopie. Auch das wertvolle Tafelservice der Loge ging verloren. Trotz der Verheerungen der NS-Zeit, während derer die Freimaurer verfemt waren, ist hier aber ein beachtlicher Bestand an Urkunden, alten Siegeln und Zunftsymbolen zu finden, die über das Wesen und die Geschichte der Freimaurerei glänzende Aufschlüsse geben.

Wir kehren zurück zur Mail-Bahn, halten uns rechts, gehen geradeaus und treffen am Eingang der Allee auf vier prächtige Statuen aus der antiken Mythologie, die dem Hofbildhauer Gabriel Räntz und dem Kabinettbildhauer Johann Schnegg zugeschrieben werden: Juno, Herkules, Mars und Minerva. Vor dem Ehrenhof des Neuen Schlosses, das wir erst auf unserem dritten Spaziergang eingehend besichtigen wollen (vgl. S. 112), biegen wir links ab und sehen am Beginn des Hofgarten-Kanals die Statuen der griechischen Musen Terpsichore und Melpomene. Die beiden waren fürs Markgräfliche Opernhaus geschaffen und wurden erst später im Hofgarten postiert.

⑬ Hofgarten-Kanal

Den vor uns liegenden Kanal mit seinen drei Inseln, der seit der Umgestaltung Mitte des 18. Jahrhunderts die zentrale Achse des Hofgartens bildet, nutzten die Wagners winters begeistert als Natur-Eisbahn. Selbst Richard versuchte hier sein Schlittschuh-Glück. Vor allem aber die Kinder, allen voran Sohn »Fidi«, gingen aufs Eis. Wagner hatte eines Spätnachmittags beim winterlichen Spaziergang im Hofgarten ein so eindrückliches Erlebnis, daß er Cosima sofort davon berichtete: »... ein seltsames Horn, sehr lächerlich, sei erschollen, wahrscheinlich vom Eis-Wächter, und da sei alles vom Teiche verschwunden; einsam habe er seine Wanderung weitergeführt und plötzlich auf dem Schnee seinen und der beiden Hunde ganz leisen Schatten gesehen; zum Himmel sehend, erblickt er das erste Viertel, es sei ein träumerischer Moment gewesen, das Horn würde ihn als Kind sehr haben lachen machen, aber niemand habe gelacht.« Im »Teich« des Hofgartens setzte Wagner auch die schwarzen Schwäne aus, die er von Ludwig II. zum 69. Geburtstag geschenkt bekommen hatte. Auch dies hielt Cosima getreulich für die Ewigkeit fest: »Die Amseln erfreuen uns, und die Schwäne geben eine völlige Poesie.« Wagner hatte die beiden schwarzen Prachtexemplare »Parsifal« und »Kundry« getauft. *Wir biegen jetzt links in den Hauptweg ein, von dem aus unser Blick auf die Schwaneninsel fällt mit ihrer hübschen antikischen Figurengruppe, der Meeresgöttin Thetis und dem Mythengetier der Tritonen. Bevor wir weiter durch den Hofgarten flanieren, machen wir kurz vor dem Sonnentempel (»Monopteros«) einen historischen Abstecher. Wir gehen rechts durch ein Tor, das uns direkt zur Parkstraße führt, in die wir linker Hand zur Villa Böhner einbiegen.*

⓮ Ehemalige Villa Böhner Parkstraße 4

Hier wohnte Hitler 1933 und 1934, bevor er von der Südseite des Hofgartens auf die Nordseite ins Siegfried-Haus umzog. Für das Quartier in der Villa Böhner, eines Bayreuther Großkaufmanns und Freimaurers, wurden pro Tag einschließlich Küchenbenutzung 36 Reichsmark bezahlt. Eine bizarre Schilderung von Hitlers Bayreuther Festspielbesuch 1933 hat Wagner-Enkelin Friedelind in ihrem bereits erwähnten Buch *Nacht über Bayreuth* gegeben. »Schon Tage vor der Eröffnung der Festspiele von 1933«, schreibt sie, »trafen SS-Abteilungen in Bayreuth ein. Die Stadt wimmelte von blauen, grünen, schwarzen, weißen und braunen Uniformen. Hitler hatte am anderen Ende des Parks ein Haus gemietet, in einer Sackgasse, die leicht abgesperrt und bewacht werden konnte, und er kam wie ein siegreicher Cäsar zur ersten Aufführung des Rings«. Auch den Wahn-fried-Besuch des »Führers« läßt sie nicht aus: »Gegen Mittag raste ein Wagen mit brüllenden SS-Männern durch die Straße, gefolgt vom Wagen des Führers, und dahinter kam ein Zug von vier oder fünf Wagen, ebenfalls dichtbesetzt mit SS-Männern, viele von ihnen auf den Trittbrettern stehend und wie Ameisen an die Karosserie angeklammert ... Während die Menge ›Heil Hitler‹ brüllte, raste der Wagen mit unglaublicher Geschwindigkeit weiter und fuhr in den Garten von Wahnfried ein; die Adjutanten sprangen heraus. Hitler besuchte uns das erste Mal, seit er ›arriviert‹ war.«

Wir gehen auf demselben Weg wieder zurück in den Hofgarten und sehen den Sonnentempel vor uns, einen höchst reizvollen architektonischen Akzent im Park.

⓯ Sonnentempel

Dieser elegante achtsäulige klassizistische Rundtempel wurde von dem Bayreuther Hofbauinspektor Carl Christian Riedel zu Ehren von Königin Luise errichtet, die hier mit dem preußischen König Friedrich Wilhelm III. bei einem Besuch Bayreuths 1805 im illuminierten Hofgarten mit einem Feuerwerk empfangen wurde. Auch Napoleon war ein berühmter Hofgarten-Gast. Von ihm wird berichtet, daß er kurz vor seinem Rußland-Feldzug am 14. Mai 1812 seine Truppen im Bayreuther Schloßgarten paradieren ließ. Die »Napoleonseiche«, die darauf verwies, existiert leider nicht mehr. *Wir gehen weiter die Allee entlang und sehen im Knick des Kanals die große Insel mit dem riesigen Wasserroß liegen, das seine schweren Hufe ins Bassin drückt. Ein Fabeltier mit mächtiger Mähne, das dem Hofgarten phantastische Züge verleiht. Von hier aus gehen wir auf die alte Mail-Bahn zurück und schwenken am hinteren Ausgang des Hofgartens links in die Cosima-Wagner-Straße ein.*

⑯ Ehemaliges Wohnhaus von Julius Kniese
Cosima-Wagner-Straße 6

Hier wohnte Prof. Julius Kniese (1848–1905), der sich als langjähriger Chordirektor und musikalischer Vorbereiter der Bayreuther Festspiele einen Namen gemacht hat. Der gebürtige Thüringer, seit 1876 Dirigent des Rühlschen Gesangvereins in Frankfurt, später Städtischer Musikdirektor

Chordirektor Julius Kniese

in Aachen, war 1881, also im Vorfeld der *Parsifal*-Uraufführung, erstmals nach Bayreuth gekommen. »Abends besucht uns ein Musikdirektor Kniese aus Frankfurt, der sich als Volontär für die Aufführungen anbietet. Das Gespräch führt auf Tenoristen u. s. w. R. klagt es, daß er unter den Musikern nur robuste Handlanger als seine Vertreter habe«, heißt es bei Cosima. In einem Gedenkaufsatz in den *Bayreuther Blättern* von 1905 würdigt die Festspielchefin Cosima den wegen seines geschäftigen Gangs spöttisch als »perpetuum probile« Titulierten als einen leidenschaftlichen, stets sachbezogenen Förderer der Bayreuther Sache. Die Sachbezogenheit hatte es freilich in sich. So erhielt *Parsifal*-Dirigent Hermann Levi, der den Chordirektor in nobler Rücksichtnahme einmal um dessen Tempo für die Chöre gebeten hatte, die barsche Antwort: »Nicht mein Tempo, nicht Ihr Tempo, *das* Tempo!« Auch als Trainer für die Solisten war Kniese begehrt. Bereits im *Parsifal*-Jahr 1882 soll Emil Scaria, Wagners erster Gurnemanz, bei den Proben im Festspielhaus gebrüllt haben: »Kniese, ich will Kniese!« Heute steht man dem Wirken des Pädagogen freilich etwas reservierter gegenüber, trägt er doch mit die Verantwortung dafür, daß Bayreuth dem »Belcanto-Wagner« abschwor.
Wir biegen nun links in die Lisztstraße ein, die wir bis zum Ende hinuntergehen. Dort stand auf der linken Seite einst die Villa, in der Hans von Wolzogen mit seiner Familie wohnte. Heute sieht man an der Stelle allerdings einen neuen Häuserblock, in dem sich das Seniorenheim der

Arbeiterwohlfahrt befindet. Auch das Schild im Hofgarten, das lange auf Wolzogens Wohnsitz verwies, existiert nicht mehr.

⓱ Ehemaliges Wolzogen-Haus Lisztstraße 6

Hans von Wolzogen (1848–1938) war einer von Wagners getreuesten und willigsten Parteigängern. In Potsdam geboren, studierte der betuchte preußische Adelige von 1868 bis 1871 in Berlin Philosophie und Philologie, widmete sich literarischer Tätigkeit, bis ihn Wagner 1877 nach Bayreuth holte. Dort redigierte er – als unermüdlicher Propagandist der Wagnerschen Werke, Ideen und Ideologien – die berühmt-berüchtigten *Bayreuther Blätter*. Sie waren anfangs als literarisches Organ der von Wagner geplanten Bayreuther Musikakademie gedacht. Als dieses Projekt scheiterte, wurden sie zur Schriftenreihe für die Patronatsmitglieder der Festspiele, mehr und mehr dann zum Kampfblatt der orthodoxen Wagnerianer – mit eindeutig doktrinären Zügen und antisemitischen Ausfällen. Hans von Wolzogen wird der Begriff »Leitmotiv« zugeschrieben. Doch wenn er ihn auch nicht erfunden hat, so hat er ihn doch so stark popularisiert, daß er bis heute durch die Wagner-Literatur schwirrt. Mit Wolzogens hielten Wagners in Bayreuth engen freundschaftlichen und familiären Kontakt. Gleichwohl schwingt immer eine Spur von Geringschätzung mit, wenn dessen literarische Fähigkeiten zur Debatte stehen. So läßt sich Wagner einmal vernehmen, daß er Wolzogen zu einem »einfacheren und korrekteren Stil« verhelfen müsse. Und Cosima äußert sich gegenüber Hermann Levi folgendermaßen: »Gewiß kann sich jetzt Wolzogen mit Nietzsche als Stilist nicht messen. Doch hoffe ich bestimmt, daß er zu einem Schriftsteller sich anerzieht; daß er kein geborener ist, darin gebe ich Ihnen recht.« Nietzsche contra Wolzogen, das Genie gegen den braven Philologen – ein absurdes Duell.

Wir biegen jetzt von der Lisztstraße rechts ein in die Wahnfriedstraße. An der Ecke rechts – in Sichtweite zu Wahnfried – steht ein rotes Backsteinhaus, in dem heute das Liszt-Museum residiert.

Hans von Wolzogen

⓲ Wohn- und Sterbehaus von Franz Liszt
Heute Liszt-Museum
Wahnfriedstraße 9

Hier wohnte und starb der ungarische Komponist und Pianist Franz Liszt (1811–1886), der zuerst Wagners Freund war und später auch noch sein Schwiegervater wurde. Die Beziehung der beiden Künstler hat in der Musikgeschichte nicht ihresgleichen. Mit einer Hingabe, die selbst Wagners unverblümten Betteleien mit ungeheurer Nachsicht und Noblesse begegnete, hat sich Liszt schon früh für Wagner und die Aufführungen seiner Opern stark gemacht. Als dieser nach seiner Teilnahme an der Dresdner Revolution 1849 steckbrieflich gesucht wurde, verhalf er ihm zur Flucht in die Schweiz. Als Hofkapellmeister in Weimar brachte Liszt dort 1850 den *Lohengrin* zur Uraufführung und war maßgeblich daran beteiligt, den *Tannhäuser* durchzusetzen.

Auch Bayreuth ist ohne seine frühe und entschiedene Anteilnahme kaum denkbar. Wagner schrieb Liszt denn auch 1853 hymnisch: »Wo hat ein Künstler, ein Freund für den anderen getan, was Du für mich tatest!! ... Ich begreife nicht, was ich ... ohne Dich geworden wäre.« Und am Abend vor der Bayreuther *Parsifal*-Premiere 1882 würdigte er den mit schlohweißer Mähne imposant aus den Versammelten Herausragenden mit den Dankesworten: »Als ich, um auf deutsch zu reden, ein ganz aufgegebener Mußjöh war, da ist Liszt gekommen und hat von innen heraus ein tiefes Verständnis für mich und mein Schaffen gezeigt. Er hat dieses Schaffen gefördert, er hat mich gestützt, hat mich erhoben, wie kein anderer. Er ist das Band gewesen zwischen der Welt, die in mir lebte, und jener Welt da draußen. Daher sage ich nochmals: Franz Liszt lebe hoch!«

Bei aller Bewunderung, die Liszt für Wagners Werk empfand, war die Freundschaft schweren Belastungen ausgesetzt, die eine Periode der Entfremdung und sogar des völligen Verstummens zur Folge hatte. Liszt konnte die Verbindung seiner damals noch mit dem Dirigenten Hans von Bülow verheirateten Tochter Cosima mit Wagner nicht gutheißen. Von Bayreuth aus aber gelang dann doch ein neuer Brückenschlag, der freilich durch Wagners Eifersucht auf Cosi-

Hans von Bülow (1830–1894)

44

Franz Liszt mit Tochter Cosima,
die nach der Scheidung von Hans von Bülow
1870 Richard Wagner heiratete

mas Vater und durch andere Unstimmigkeiten stets gefährdet blieb. Von Wagners oft ungnädigem Urteil über Liszts kompositorisches Schaffen ganz zu schweigen, dessen kühn in die Zukunft weisender Harmonik er so viel verdankte. Bei seinen letzten Besuchen in Bayreuth 1886, als er zur Hochzeit seiner Enkelin Daniela von Bülow und dann noch einmal, schon schwer krank, zur *Parsifal-* und *Tristan-*Aufführung nach Bayreuth kam, hatte sich Liszt im Haus der Oberförsterfamilie Fröhlich in der Wahnfriedstraße einquartiert. Zwar noch in Blicknähe zu Wahnfried und doch – nicht erst in seinen qualvollen Sterbestunden – in einer von Cosima diktierten kühlen Distanz.

Daß Liszt als Komponist mit seinen Werken und Ideen weit in die Zukunft wies und zu den Großen der Musikgeschichte zählte, wollte und konnte Cosima offenbar nicht sehen. Ungerührt ließ sie nach Liszts Tod am 31. Juli 1886 die Festspiele weiterlaufen, ohne dem Toten eine angemessene Ehrung auf dem Grünen Hügel zuteil werden zu lassen. Die in Liszts Sterbestunden in Bayreuth anwesenden Lisztianer waren über dieses Verhalten empört. Doch setzten sie gegen Cosimas ursprüngliche Anordnung durch, daß sie als erste hinter dem Sarg gehen durften, da sie, wie Liszts Meisterschüler Alexander Siloti gesagt haben soll, »im Geiste dem großen Meister näherstünden als alle Bewohner Bayreuths«. »Kein Zweifel, Liszt war für seine Tochter längst schon ein Toter«, kommentiert auch Urenkelin Nike Wagner den Fall Cosima–Liszt.

Die Wagner-Stadt Bayreuth hat sich erst spät darauf besonnen, Liszt so zu ehren, wie es ihm, der Wagner unermeßliche Dienste leistete, zustand. Das Museum an der Wahnfriedstraße besteht in der jetzigen Form jedenfalls erst seit 1993. Es zeigt, liebevoll in einen chronologischen Zusammenhang gebracht, die Sammlung des Münchner Pianisten Ernst Burger, die 1988 von der Stadt angekauft und durch bedeutende Leihgaben aus dem Richard-Wagner-Museum und Schenkungen aus Liszts Geburtsstadt Raiding erweitert wurde. Das von frühen Triumphen bewegte Leben des stürmisch gefeierten Klaviervirtuosen und Komponisten leuchtet jedenfalls in einer Fülle von Dokumenten, Fotografien und Porträts auf, die nicht nur Liszts eindrucksvolle Erscheinung mit dem eleganten »Elfenbeinprofil«, sondern auch seine Familie, Freunde und Kollegen Berlioz, Chopin oder Paganini fesselnd ins Blickfeld rücken.

Neben dem Hehren kommt auch das Alltägliche ins Spiel: zwei Paar abgelaufener Sandalen und ein Kartenspiel Liszts, der bekanntlich ein leidenschaftlicher Whistspieler war. Das Whistspiel hatte Liszt zur leichten abendlichen Unterhaltung in Wahnfried eingeführt. Unter den Ausstellungsstücken ist auch eine Rarität mit prekärer Geschichte: die wundervolle Bleistiftzeichnung von Jean-Auguste Ingres aus dem Jahr 1839, der den jungen Liszt mit zartesten Strichen kongenial einfing. Wielands Sohn Wolf Siegfried (genannt »Wummi«) hatte das wertvolle Stück an einen Kunsthändler zu verscherbeln versucht, um sein

Taschengeld aufzubessern. Um einen Skandal zu vermeiden, kaufte es Großmutter Winifred wieder zurück. *Wir gehen die Wahnfriedstraße hinauf bis zur Ecke Richard-Wagner-Straße.*

⑲ Chamberlain-Haus
Heute Jean-Paul-Museum
Wahnfriedstraße 1

Hier lebte von 1908 an bis zu seinem Tod 1927 der englische Schriftsteller, Publizist und Wagner-Biograph Houston Stewart Chamberlain (1855–1927). Ein germanophiler Wagnerianer und ein besessener Rassentheoriker, der als Wegbereiter des Nationalsozialismus in die Geschichte einging. Hitler hat diesem Mann, der in Frankreich die *Revue Wagnérienne* publizierte und in Deutschland durch *Die Grundlagen des 19. Jahrhunderts* populär geworden war, im September 1923 in Bayreuth seine Aufwartung gemacht. Und Chamberlain hat sich mit einem Dankesbrief revanchiert, den Winifred Wagner ein paar Tage später dienstfertig im *Bayreuther Tagblatt* veröffentlichte. Darin heißt es: »Daß Deutschland in der Stunde seiner höchsten Not sich einen Hitler gebiert, das bezeugt sein Lebendigsein.« Chamberlain war im übrigen Winifred Wagners Schwager. Er hatte im Dezember 1908 Wagners zweitälteste Tochter Eva geheiratet, die damals bereits 41 Jahre alt war. Die Villa in der Wahnfriedstraße war ein Hochzeitsgeschenk Cosimas. Chamberlains Bibliothek steht heute im zweiten Stock, ist für die Öffentlichkeit aber ebenso wenig zugänglich wie das Observatorium unter dem Dach. Daß gerade dieses Haus zum Museum für Jean Paul werden sollte, ist natürlich eine ironische Wendung der Geschichte. War es doch schon verblüffend genug, daß Jean Paul, der berühmte, von den Größten seiner Zeit bewunderte Schöpfer des *Hesperus* und des *Titan*, 1804 just in die kleine markgräfliche Residenzstadt zog, um hier die letzten 21 Jahre seines Lebens zu verbringen. Wir werden in Bayreuth und seiner Umgebung mehr als einmal auf diesen Sprachmagier und Phantasten stoßen, der nicht nur ein grandioser Satiriker und Visionär, sondern auch ein eminent politischer Schriftsteller und hellsichtiger Pädagoge war.

All diese Aspekte kommen denn auch auf das Schönste in der im Parterre des Hauses ausgestellten Sammlung zum Tragen, die der Bayreuther Arzt und Jean-Paul-Kenner Philipp Hausser der

Eva Wagner und
Houston Stewart Chamberlain, 1911

Stadt 1980 für das Jean-Paul-Museum als Dauerleihgabe überließ. Hier geht man jedenfalls dem vorschnellen Urteil vom bieder versponnenen Idylliker Jean Paul (Nietzsche sprach gar vom »Verhängnis im Schlafrock«) nicht auf den Leim. Hier spiegeln die Autographe und Erstausgaben der Werke, die Briefe und Porträts die geistige Weite und Originalität eines Dichters, der mit seiner berühmten *Rede des toten Christus vom Weltgebäude herab, daß kein Gott sei* schon früh die Schrecken neuzeitlicher Glaubenskrisen Sprache werden ließ. Und mit beschworen wird in dieser Gedächtnisschau auch das Bayreuth der Jean-Paul-Zeit: Schloß Eremitage, Schloß Fantaisie und die oft zitierte Gastwirtschaft der Rollwenzelei, in der Jean Paul sein Zweitbüro aufmachte, seine Dichterklause vor den Toren der Stadt.

Vom Jean-Paul-Museum gehen wir jetzt wieder links die Richard-Wagner-Straße zurück bis zu unserem Ausgangspunkt, dem Sternplatz.

Blick vom Bahnhofsvorplatz
zum Festspielhaus
auf dem Grünen Hügel

Zweiter Spaziergang
»Dort stehe es, auf dem lieblichen Hügel bei Bayreuth«
Vom Bahnhof zum Festspielhaus

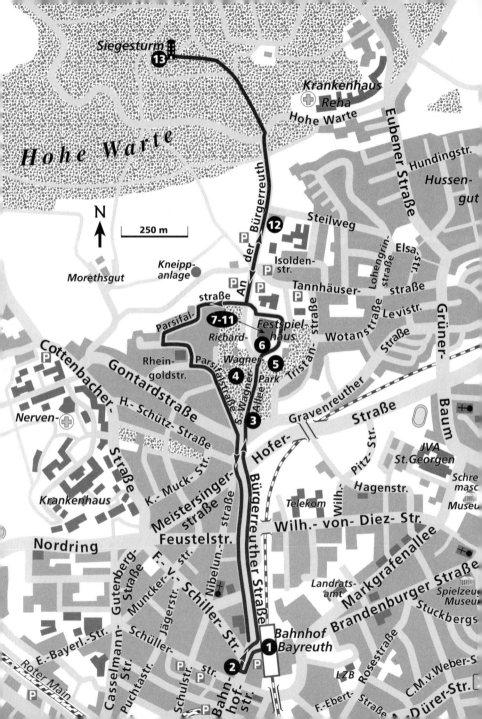

Siegesturm

13

Krankenhaus
Reha
Hohe Warte

Hohe Warte

Eubener Straße

Hundingstr.

Hussen-
gut

N

250 m

An der Bürgerreuth

12

Steilweg

Lohengrin-
straße

Elsa-
str.

Kneipp-
anlage

Isolden-
str.

Tannhäuser-
straße

Levistr.

straße

Morethsgut

straße

Wotanstraße

Straße

Parsifal-

7-11

Richard-

Festspiel-
haus

6

Grüner-

Rhein-
goldstr.

4

Wagner

5

Tristan-straße

Baum

Cottenbacher-

Gontardstraße

H.-Schütz-Straße

Parsifalstraße

S.-Wagner-

Park

Allee

3

Gravenreuther-

Straße

JVA
St.Georgen

Schre
masc

Nerven-

Hofer-

Pitz-Str.

Museu

K.-Muck-Str.

Wilh.-

Hagenstr.

Krankenhaus

Meistersinger-
straße

Bürgerreuther Straße

Telekom

Wilh.- von- Diez- Str.

Markgrafenallee

Nordring

Feustelstr.

Brandenburger Straße

Spielzeu
Museu

Gutenberg-
Straße

F. v.

Muncker-str.

Nibelun-

Schiller- Str.

Landrats-
amt

Stuckbergs

Jägerstr.

gen-str.

Bahnhof
Bayreuth

1

Rosestraße

E.-Bayerl.-Str.

Casselmann-
Str.

Schüller-
str.

Puchtastr.

Schulstr.

Bahn-
hof-
str.

2

LZB

C.M.v.Weber-S

Roter Main

F.-Ebert- Straße

Dürer-Str.

Unser zweiter Spaziergang führt uns vom Bahnhof aus, der lange das eigentliche Entree für Bayreuth und die Festspiele war, über die Bürgerreuther Straße durch den sanft ansteigenden Richard-Wagner-Park zum Grünen Hügel hinauf. Dort liegt das Festspielhaus, das Paradies aller Wagner-Pilger und Zielpunkt von Wagners Ideen und Programm. Auch wenn Besichtigungen nicht immer möglich sind, sollte man sich einen Besuch des Innern natürlich nicht entgehen lassen. Die genauen Termine für die Führungen erfragt man deshalb sicherheitshalber telefonisch (0921/ 78 780) beim Festspielhaus.

❶ Bayreuther Bahnhof

Bayreuth lag und liegt an einer Nebenstrecke, doch war der Bayreuther Bahnhof zu Wagners Lebzeiten und noch Jahrzehnte danach die Einfallsschleuse für die Festspielstadt. Eine Art Vorbühne, ein Proszenium, von dem aus man, was die Ankommenden zu Recht begeisterte, den Fachwerkbau des Festspielhauses bereits hell und mächtig aufschimmern sah. »Ich habe nicht geglaubt, dass Sie es zustande bringen würden, und nun bescheint die Sonne Ihr Werk!« Das sind die berühmten Sätze Kaiser Wilhelms I., mit denen er – unmittelbar nach seiner Ankunft – Richard Wagner seine Anerkennung für das geglückte Riesenunternehmen aussprach. Warme Worte! Gelder waren trotz dringlicher Anfragen aus Berlin keine geflossen. Der deutsche Kaiser war als ranghöchster Ehrengast zur Festaufführung des ersten *Ring*-Zyklus am 12. August

1876, also am Vorabend der Festspiele, mit einem Sonderzug auf dem Bayreuther Bahnhof eingetroffen. Die Honoratioren der Stadt standen Spalier, die Bayreuther Bürger jubelten dem Kaiser mit Hurrageschrei zu. »Ein paar glänzende Uniformen an der Spitze, dann eine Prozession von Musikern des Wagner-Theaters mit ihrem Dirigenten Hans Richter, darauf die hohe, schlanke Figur und der schöne Greisenkopf des Abbé Liszt ... endlich in einem eleganten Wagen ein kleiner Mann mit starker Adlernase und feinen spöttischen Lippen, die den Urheber dieser ganzen kosmopolitisch-artistischen Feierlichkeiten charakterisierten: Richard Wagner selbst ...«, so sah Peter Tschaikowsky den Empfang des Kaisers am Bayreuther Bahnhof.

Auch andere Festspiel-Prominenz kam hier an: preußische Prinzessinnen, k. u. k.-Adel, Künstler und Komponisten. Camille Saint-Saëns, Edvard Grieg, Anton Bruckner, Tschaikowsky, die Maler-Fürsten Hans Makart, Franz von Lenbach und Adolph Menzel, der Philosoph Friedrich Nietzsche und Eduard Hanslick, der gefürchtete Wiener Musikkritiker. Den Großherzog Karl Alexander von Sachsen-Weimar holte Franz Liszt höchstpersönlich von den Gleisen ab. In den gedruckten Fremdenlisten der Stadt sind sie alle vermerkt: die frühen Wagnerianer und Antiwagnerianer, die Gönner und Geizigen, die Enthusiasten und Skeptiker, die Patrone und Präsidenten der Wagner-Vereine.

Vom Bahnhof aus fielen sie ein in die für derartige Besucheranstürme nur

schlecht gerüstete Stadt am Roten Main, in der es in den Gaststätten kaum Platz, geschweige denn genug zu essen gab. Mancher war schon glücklich, wenn er ein Stück kaltes Fleisch und ein Fläschchen Bier ergattern konnte. Tschaikowsky:»Alles schreit durcheinander. Die ermatteten Kellner schenken selbst den berechtigsten Forderungen nicht die geringste Aufmerksamkeit ... Während der ganzen ersten Serie der Vorstellung der Tetralogie bildete das Essen das allgemeine Gesprächsthema und schwächte ganz bedeutend das Interesse für die Kunst ab. Man hörte mehr von Beefsteaks, Schnitzeln und Bratkartoffeln als von Wagners Leitmotiven.«
Ludwig II., der Menschenscheue, kam nicht am Bahnhof an, sondern ließ seinen Hofzug nächtens auf offener Strecke halten, von wo aus er gemeinsam mit Wagner ins Schloß Eremitage fuhr. Der Bayernkönig war bereits zu den Generalproben nach Bayreuth gekommen und reiste danach sofort wieder ab. Später fuhr – eine unselige Erinnerung – Hitlers Salonwagen im Bayreuther Bahnhof ein. Daß Winifred Wagner, Festspielchefin seit Siegfried Wagners Tod, nach dem Zweiten Weltkrieg 450 Tage den Bahnhofsvorplatz hätte kehren sollen, ist freilich die maliziöse Bayreuther Version jenes Spruchkammerurteils von 1947, in dem lediglich von »Sonderarbeit für die Gemeinschaft« die Rede war. Dieses Urteil wurde im zweiten Verfahren aufgehoben.
Wenn wir nach links schauen, sehen wir schräg gegenüber vom Bahnhof einen ziemlich gesichtslosen Hochhauskasten.

Hier stand einst das repräsentable Wohnhaus des Bankiers Friedrich Feustel.

❷ Ehemaliges Palais Feustel Bahnhofstraße 15

Der Bankier, Unternehmer, Politiker und Großmeister der Bayreuther Freimaurerloge Friedrich Feustel (1823–1891) war einer der engagiertesten Mitstreiter Wagners in Bayreuth. Ohne seine Tatkraft, seinen Pioniergeist, seine geschmeidige Diplomatie wäre das Unternehmen eines eigenen Wagnerschen Festspielhauses in Bayreuth bereits im Ansatz gescheitert. Schon bei der Wahl des Bauplatzes wäre es ohne Feustel fast zum Desaster gekommen. Als sich beim ursprünglich ins Auge gefaßten Terrain am Stuckberg in St. Georgen plötzlich einer der Mitgrundstückseigner querlegte,

Wagners Mitstreiter Friedrich Feustel

Das Palais Feustel zur Wagner-Zeit

reiste Feustel, begleitet von Bayreuths
Bürgermeister Theodor Muncker, ins
schweizerische Tribschen, um dem
Komponisten das Areal auf dem Grünen Hügel als Alternative anzubie-
ten. Wagner gab sich gekränkt und
unzugänglich, die beiden Emissionäre
machten sich folglich auf den Rückweg zum Luzerner Bahnhof. Dann der
alles entscheidende Augenblick: Feustel besinnt sich, marschiert kurzent-
schlossen nach Tribschen zurück und
bewegt erst Cosima, dann Wagner
zum Einlenken.
»Wenn Not am Mann, muß immer
Feustel dran.« Das Wagner-Bonmot
könnte gut und gern als Motto über
der glücklichen Verbindung dieser
beiden so gegensätzlichen Männer
stehen, deren Freundschaft alle Miß-
lichkeiten und vor allem Wagners be-

rüchtigte Launen überstand. Fest
steht, daß Feustel mit erstaunlichem
Instinkt erkannt hatte, welche einzigartige historische Bedeutung die
Wagnersche Festspieltheater-Idee für
Bayreuth hatte. Daß er mit seinem
freudigen und entschlossenen Ein-
satz auch Bayreuther Geschichte mit-
schrieb, muß er zumindest geahnt haben. Wagner jedenfalls wußte, was er
an diesem Mann hatte. Schon zur
Grundsteinlegung am 22. Mai 1872 –
es war Wagners 59. Geburtstag –
schenkte er ihm eine Medaille mit seinem Porträt samt kräftiger Reime:

»Verachtung allen Canaillen,
den Freunden schöne Medaillen!
Lacht mancher falsch in's Fäustel,
Ist Niemand ächter wie Feustel ...«

Seine politische Statur ließ Feustel 1871 zum Reichstagsabgeordneten avancieren. Bayerischer Finanzminister wollte er jedoch nicht werden, diesen ehrenvollen Antrag lehnte er ab. In Feustels Stadthaus, das man in den sechziger Jahren des 20. Jahrhunderts abriß, fand Wagner auch erste Aufnahme, bevor er mit Cosima und den Kindern ins Hotel Fantaisie nach Donndorf zog. Die Freundschaft zwischen den Feustels und Wagners reichte noch weit ins 20. Jahrhundert. Als 1931 für Wilhelm Furtwängler ein Quartier gesucht wurde, bot ihm die Familie Feustel, auf Vermittlung Winifred Wagners, ihren Landsitz im romantischen Friedrichsthal in Laineck als nobles Logis an. Dem passionierten Reiter wurde – das hatte er zur Bedingung gemacht – dort auch ein Reitpferd zur Verfügung gestellt. Und dieses Pferd, so seine Mitarbeiterin Berta Geissmar, blieb für Furtwängler »eine der größten Attraktionen seines Bayreuther Aufenthalts«. Hoch zu Roß, so zeigt ihn jedenfalls ein amüsantes Foto, nahm er denn auch mit Grandezza die Bewunderung der ohnehin von ihm magnetisierten Damenwelt entgegen. Furtwänglers atemberaubender *Tristan* wurde damals von 200 Rundfunkstationen ausgestrahlt. Wo heute neben dem Bahnhof das Hotel Bayerischer Hof liegt, stand zu Wagners Zeiten Feustels Privatbank, über die auch die Finanzgeschäfte der Festspiele liefen. Feustel hatte seine Bank bereits 1862 gegründet, 1869 wurde er Mitbegründer der Bayerischen Vereinsbank. Und auch an der Gründung der Bayreuther Bierbraue-

rei AG war er entscheidend beteiligt. Bayreuth verdankt ihm viel.

Wir gehen jetzt rechts vom Bahnhof zügig die Bürgerreuther Straße hinauf bis zur Kreuzung Meistersingerstraße. Hier stehen wir an der vielbeschriebenen Auffahrt zum Grünen Hügel – vor uns der Richard-Wagner-Park und das Festspielhaus.

❸ Auffahrt zum Festspielhaus Siegfried-Wagner-Allee

Hier beginnt denn auch für die eingefleischten Wagnerianer der »heilige Bezirk«. Der Ort, wo alle nur möglichen Zustände der Erwartung, der Neugierde, der Spannung und der Ungeduld vor dem Beginn der Aufführungen magisch zusammenfließen, wie es der österreichische Dirigent Felix Weingartner in seinen *Lebenserinnerungen* aus dem Jahr 1923 so emphatisch beschrieb. Mit Droschken und Fiakern fuhr man in den frühen Jahren den Grünen Hügel zum Festspielhaus hinauf, das damals noch außerhalb der unmittelbaren Stadtgrenzen lag. Als die Automobile aufkamen, wurden diese in großem Bogen zum Festspielhaus umgeleitet, während die Kutschen weiter direkt aufs Festspielhaus zusteuern durften. Für Fußgänger war der Gang zum Festspielhügel nicht immer die reine Lust. Tschaikowsky, Besucher der ersten Festspiele 1876, stöhnte jedenfalls über den Weg in der Stunde vor dem eigentlichen Beginn der Aufführungen um vier Uhr. »Diese Stunde war wohl die schwerste des Tages, sogar für diejenigen Glücklichen, denen es gelungen war, zu Mit-

Mit Kutsche und Automobil: Auffahrt zum Festspielhaus, 1910

tag zu essen: Denn auf dem ganzen Wege ist man den sengenden Sonnenstrahlen schutzlos preisgegeben, und zum Überfluß geht es noch bergauf.« Bis ins 20. Jahrhundert hatte die Auffahrtsstraße zudem einen desolaten Belag, der bei Regen naß und matschig, bei Sonnenglut dagegen pulvertrocken war. Das *Bayreuther Tagblatt* sang ein ergreifendes Lied davon. »Damen von Distinction«, so hieß es dort, hätten versichert, ihre Garderobe habe »dem Gewande der Müller geglichen«. Dennoch war es natürlich eine festlich gesteigerte Wagner-Parade, die sich da sommers auf das Festspielhaus zubewegte. Kaum anders als heute, wenn ein neuer *Ring* oder ein neuer *Tannhäuser* ansteht, der die Erwartun-

gen gerade an diesem Ort der Wagner-Tradition gewaltig schürt.

❹ Richard-Wagner-Park

Erst 1933, zu Wagners 50. Todestag, erhielten die Anlagen auf dem Festspielhügel den Namen Richard-Wagner-Park. Damals wurde auch die Auffahrtstraße zur Siegfried-Wagner-Allee. Nicht immer allerdings war das sanft ansteigende Terrain eine so propere Parkanlage wie heute. Der Grüne Hügel war lange Zeit ein eher verwahrlostes Gebiet, nur mit ein paar Bäumen bestockt – schlecht passend zur erhabenen Feier des Wagner-Werks. Virginia Woolf, die es 1909 nach Bayreuth gezogen hatte, konstatierte: »Zwischen den Akten geht man hin und sitzt auf einem Acker und beobachtet einen Mann, der Rüben hackt.«

So hatten denn Cosima und Siegfried Wagner nach dem Ersten Weltkrieg auf Verschönerung der Festspielhausumgebung gedrungen und tatsächlich erreicht, daß 1927 nach Entwürfen eines renommierten Gartenarchitekten der schöne Park angelegt wurde – mit seinen schwingenden Wegen hinauf und hinab, mit seinem sommers üppigen Blumendekor und dem kleinen Weiher, den der stattliche Herkules von Georg Wieshack aus dem Jahr 1676 schmückt. Der hatte einst auf dem Herkulesbrunnen auf dem Markt gestanden, wo man sich seit 1926 jedoch mit einer Kopie begnügen muß. Durch den mit Mammut- und Trompetenbaum, mit Trauerweiden, Sumpfzypressen und Zaubernuß stimmungsvoll bepflanzten Park kann man gemächlich zur Terrasse des Festspielhauses hinaufspazieren. Während der berühmten Einstunden-Pausen zwischen den Aufzügen kann man sich dort natürlich auch auf angenehmste Art von seinen Wagner-Räuschen erholen.

❺ Richard-Wagner-Büste und Cosima-Wagner-Büste

Um die Richard-Wagner-Büste von Arno Breker (1900–1991), die rechts im oberen Teil des Parks steht, hat es seinerzeit großen Wirbel gegeben. Schließlich war Breker Hitlers Günstling gewesen und hatte für den »Führer« eine Reihe monumentaler Plasti-

ken und Reliefs geschaffen. Die Wagner-Büste, die vermutlich bereits aus dem Jahr 1939 stammt, wurde 1955 deshalb auch nicht auf dem eigentlichen Festspielhausgelände aufgestellt, das damals noch der Familie Wagner gehörte: Wieland und Wolfgang Wagner wollten auf jeden Fall verhindern, daß sich alte NS-Schatten über ihr gerade wiedererstandenes Bayreuth legten. Nicht ohne Grund hing zur Wiedereröffnung der Festspiele 1951 denn auch Wagners »Hier gilt's der Kunst« als Aufruf im Festspielhaus, um jeder politischen Vereinnahmung vorzubeugen.

Die ebenfalls von Arno Breker stammende Cosima-Büste steht parallel zu der Wagners auf der linken Parkseite. Daß Cosima auf ihrem Sockel nicht Richard zugewandt ist, wie dieser ihr, sondern von ihm weg in die Ferne schaut, spottet freilich jeder historischen Wahrheit. Diese beiden waren extrem aufeinander fixiert, auch wenn es von seiten Richards Eskapaden gab à la Judith Gautier. Wagner hat die Einmaligkeit dieser Beziehung selbst gepriesen: »So etwas wie wir beide hat es nie gegeben! Absurde, exzentrische Verhältnisse schon, aber wir beide nie …« Und noch einen Tag vor seinem Tod in Venedig soll er zu Cosima gesagt haben, so etwas glücke nur alle 5000 Jahre.

Das »Wagner-Theater in Bayreuth« nach einem frühen Plan, wie Louis Sauter es sah.

❻ **Terrasse des Festspielhauses**

»Have you got me lighted properly?« George Bernard Shaw, den scharfsinnigen Spötter und Wagner-Exegeten, trieb es auch 1908 wieder auf den Festspielhügel, wo er sich mit süffisantem Lächeln auf den Lippen abkonterfeien ließ. Wie tausend andere Künstler und Gäste, die auf dem Vorplatz des Festspielhauses flanierten, schwadronierten und posierten. Das Plateau vor dem sogenannten Königsbau, von dessen Balkon die Fanfaren den Beginn der Aufführungen und Akte verkünden, war ein Korso der Eitelkeiten und der Selbstvergewisserung durch die festliche Teilhabe an Wagners Größe und Werk. Selbst ein Toscanini, einer der Mächtigsten unter den Dirigenten des vergangenen Jahrhunderts, konnte es nicht lassen, in seinem Landaulet mit seinem Chauffeur Emilio am Steuer direkt vor dem Festspielhaus vorzufahren, wie es heute in dieser Form nicht mehr möglich ist, da man die Auffahrt umgestaltet hat. Auch der berühmte Heldentenor Lauritz Melchior ließ sich dort in seiner obligatorischen Lederhosenkluft für die Nachwelt ablichten. Ungemütlich wurde es, als Hitler von Bayreuth und den Festspielen Besitz ergriff. Die Perversion ging so weit, daß zu den Kriegsfestspielen Soldaten in SS-Uniform die Fanfaren bliesen. Auch das Foto, das Hitler 1940 an einem der Seitenfenster des Festspielhauses zeigt, wie er der dichtgedrängten Menge zuwinkt, die ihm mit »Heil Hitler«-Rufen geschlossen zujubelt, könnte beklemmender

nicht sein. Erst als die Bayreuther Festspiele nach dem Krieg 1951 unter Wieland und Wolfgang Wagners Regie wiederauferstanden, wurde auch der berühmte Parcours vor dem Festspielhaus wieder international gesellschaftsfähig.

George Bernard Shaw vor dem Festspielhaus

Arturo Toscanini in Bayreuth, 1930

➐ Festspielhaus

Das Festspielhaus auf dem Grünen Hügel ist das berühmteste Gebäude der Stadt. Und als Idee und Form steht es mit seiner Geschichte sogar einzigartig in der Welt da. Dabei wirkt es auf den ersten Blick fast wie ein schnell hochgezogener Fabrikbau der Gründerzeit – mit seinen simplen Fachwerkbalken, den roten Ziegelsteinen und dem kantig herausragenden Bühnenhaus. Bayreuths historische Bierbrauereien unterscheiden sich jedenfalls äußerlich kaum von Wagners damals »provisorisch« geplantem Bau. Im Innern aber öffnet sich dieses Festspieltheater zu einem kultischen Raum, der auf bewunderungswürdige Weise den Geist der griechischen Antike und der musikdramatischen Utopien beschwört.

Ein Theaterbau allein für Wagners Kunst, für das Werk eines einzigen Komponisten! Ein Theater, in dem der gewaltige, alles überragende *Ring*-Zyklus erstmals in vollendeter musikalischer und szenischer Gestalt zur Auf-

führung gelangen sollte. Ein Theater zudem fernab der mondänen Welt und der Musik-Metropolen des 19. Jahrhunderts. Man kann sich kaum vorstellen, welch Staunen, welche Neugier, aber auch welche Skepsis das damals ausgelöst hat. Doch Wille, Vorstellung und Ziel waren bei Wagner schon immer eins: »Dort stehe es, auf dem lieblichen Hügel bei Bayreuth«, bestimmte er. Und da steht es bis heute – als epochales Denkmal seines Protests gegen alles, was damals an hochfahrend-prunkvoller Theaterarchitektur Mode war und was er als frivolen »Opern- und Ballet-Flitterstyl« für verachtenswert hielt.
Betritt man den Zuschauerraum mit seinem amphitheatralischen Zuschnitt, erkennt man denn auch gleich das antikisch Schlichte und Würdevolle dieser Wirklichkeit gewordenen Theatervision. Selbst Shaw geriet ins Schwärmen ob der genialischen Konstruktion des halbkreisförmigen Auditoriums, das mit seinen scharf vorspringenden Scherenwänden in raffiniert perspektivischem Aufriß über das doppelte Proszenium hinweg zur Bühne »überspingt« und die Kluft zwischen Zuschauern und Darstellern kühn eliminiert. »Welch eine herrliche architektonische Idee – diese Folge von Flügeln, die die Bühne auf die allernatürlichste Weise aus dem Zuschauerraum herauswachsen lassen!« schwärmte der Ire 1889, nicht ohne sich im selben Atemzug über die harten Holzsitze »Marke Cockpit/Schafott« zu mokieren.

Hitler am Fenster des Festspielhauses

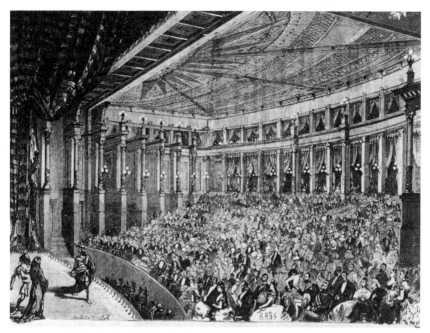

Das Innere des Festspielhauses zur *Rheingold*-Aufführung 1876.
Skizze von Ludwig Bechstein

Dabei lag gerade hier eines der Geheimnisse dieses Theaters, das in seinem Innern – nach Wagners ausdrücklichem Willen – fast ausschließlich aus Holz gebaut und somit ein unvergleichlicher Resonanzraum für die Musik war. Denn das eigentliche Wunder von Bayreuth war und ist der Klang, der »mystische Abgrund« des von Wagner absichtsvoll versenkten, unsichtbaren Orchesters, dessen Klang von der gewölbten hölzernen Schallkappe reflektiert wird, ehe er in den Zuschauerraum ausstrahlt. Ein phantastischer Einfall, der bis heute seine spektakuläre Wirkung tut, die Sängerstimmen wie selbstverständlich über das Orchester hinweghebt.

Dabei hatte der Schalldeckel, der das Orchester für den Zuschauer unsichtbar macht, im Grunde ein pragmatisches Ziel: Das Interesse des Publikums, so Wagner, sollte sich ganz und gar auf das dramatische Geschehen auf der Bühne richten. Sollte völlig unabgelenkt sein durch den »technischen Herd« der Musik. Neugierig ließ sich Kaiser Wilhelm I. denn bei seinem Besuch der Festspiele 1876 von Richard Wagner neben Bühne und Maschinenraum auch das versenkte Orchester zeigen, um den Ort kennenzulernen,

»Mystischer Abgrund« und Zuschauerraum (oben). *Parsifal*-Orchesterprobe,
1882. Durch ein Loch im Schalldeckel gab
Wagner dem Dirigenten Hermann Levi
Anweisungen (unten).

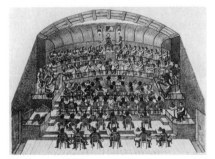

»wo seine Hofmusiker schwitzten«.
Später soll er maliziös hinzugefügt
haben, wäre er Mitwirkender gewesen, hätte ihn Wagner da gewiß nicht
hinuntergebracht! Wie auch immer:
Wenn sich zu Beginn des *Ring* der aus
Urtiefen aufsteigende Es-Dur-Akkord
des *Rheingold*-Vorspiels wie ein mythi-
scher Weltenstrom Bahn bricht, ist
man einfach überwältigt.
Mit dem *Ring* hatte ja alles begonnen
in Bayreuth. Denn die eigenmächtigen
Uraufführungen von *Rheingold* und
Walküre, die Ludwig II. als Besitzer
der *Ring*-Partitur 1869/70 in München veranstalten ließ, hatten Wagner
derart erzürnt, daß er nur um so entschiedener seine Festspiel- und Festspieltheater-Idee für Bayreuth verfolg-
te. Und wie die Geschichte zeigt, tat er
gut daran, auch wenn es nicht ohne
heftige Wider- und Notstände und ein
erst in letzter Minute abgewendetes
Debakel abging. Doch allen Widersa-
chern zum Trotz brachte er das Unternehmen mit der ersten geschlossenen
Aufführung des *Ring* im August 1876
im eigenen Festspieltheater zum fulmi-
nanten Abschluß. Danach lastete allerdings jahrelang ein ungeheures Defizit auf Wagner, der zudem mit manch
szenischer Lösung seiner *Ring*-Tetra-
logie alles andere als zufrieden war.
Zu viel war nur annähernd gelungen. Doch was war das angesichts
der Außerordentlichkeit des Erreich-
ten! »Zum ersten Mal wird ein Theater für eine Idee und für ein Werk aufgeführt«, so Franz Liszt.
Der imposante marmorne »Theater-
zettel« im Entree des Festspielhauses,
auf dem die Mitwirkenden des ersten

Bayreuther *Ring* aufgeführt sind, kündet noch heute von diesem musikalischen Weltereignis. Die Gedenktafel war 1876 von den Baumeistern des Theaters gestiftet worden, aber bei den Orchestermusikern und den Choristen auf helle Empörung gestoßen. Denn sie waren nicht wie die Sänger, der Dirigent Hans Richter und der Inszenator Karl Brandt mit eingraviert auf der marmornen *Ring*-Affiche. So half es nichts: Wagner mußte, um vorläufigen Frieden zu stiften, die steinerne *Ring*-Tafel für die gesamte Dauer der Festspiele verhängen. Albert Niemann, der Sänger des Siegmund, daraufhin: Wenn er einmal in der richtigen Laune sei, schmeiße er diesen »Leichenstein« einfach um. Doch der steht bis heute, an jener Stelle des Entrees, an der im Jahr 1872 auch der Grundstein des Festspielhauses gelegt worden war. An jenem bedeutenden Tage wurde auch die Kapsel mit Wagners dunklem Spruch mit versenkt:

»Hier schließ' ich ein Geheimnis ein,
da ruh' es viele hundert Jahr':
so lange es verwahrt der Stein,
macht es der Welt sich offenbar.«

Was sich der Welt offenbarte, war neben dem *Ring* der *Parsifal*, Wagners Bühnenweihfestspiel, das zugleich sein Vermächtnis wurde. Mit der Uraufführung des *Parsifal* im Festspielhaus am 26. Juli 1882 hatte er vollendet, was er sich vorgenommen hatte. Es war der »letzte Kraftakt eines Genies«, wie Debussy später schrieb. »Das extremste unter Wagners Werken«, so Thomas Mann, »voll von Lauten, denen man mit immer neuer Beunruhigung, Neugier und Verzauberung nachhängt.« Auch die *Parsifal*-Taufe im Bayreuther Festspielhaus wurde zum Ereignis, zum Meilenstein der Musikgeschichte. Ein halbes Jahr später, am 13. Februar 1883, war Wagner tot. »Erlösung dem Erlöser!«, wie es am Schluß des *Parsifal* so geheimnis-

Wie Wagner 1876 die Rheintöchter über Wasser hielt.

Marianne Brandt, Bayreuths erste Kundry. *Parsifal,* 1882

voll heißt. Cosima, erst 45 Jahre alt, nahm ihr Erbe zu eigen, um es mit Brünnhildes Worten zu sagen. Und wenn sie sich auch aus falsch verstandener Treue zur Tradition gegen inszenatorische Neuerungen und Weiterentwicklungen sperrte, so ist doch sie es gewesen, die die Festspiele in Bayreuth überhaupt erst etabliert hat. Das war ihre große, wenn nicht gar größte Lebensleistung. Nachdem Cosima 1886 den *Tristan,* 1888 die *Meistersinger,* 1891 *Tannhäuser,* 1894 *Lohengrin* und 1901 den *Fliegenden Holländer* in den Kanon der Bayreuther Werke aufgenommen hatte, übergab sie die Festspielleitung im Jahr 1906 an Siegfried Wagner, ihren Sohn. Bis zur Gründung der Richard-Wagner-National-Stiftung 1973 blieb das Festspielhaus, dessen Holzfachwerk die Enkel Wolf-

gang und Wieland 1961 durch ein sicheres Betonskelett ersetzen ließen, im Privatbesitz der Familie Wagner.
Vor dem Haupteingang rechts sehen wir breit hingelagert einen modernen Mehrzweckbau, dessen unterer Teil zum Park hin während der Festspielzeit als reguläres Restaurant dient, dessen oberer Teil dagegen auf schnelle Selbstbedienung abgestellt ist. Hier schöpft man während der Ein-Stunden-Pausen zwischen den Akten neue Kraft für die Mammutsitzungen der Wagnerschen Werke, hier sucht man die ersten Eindrücke im Schnellverfahren zu sortieren. In der Zeit vor den Festspielen, die jedes Jahr in der letzten Juliwoche beginnen, wird das 1971 gebaute Restaurant vom Orchester zu Proben genutzt. An diesem Platz stand bis zum Neubau die sogenannte Große Restauration.

❽ Ehemalige Große Restauration

Wagner wollte eigentlich keine Gaststätte auf dem Grundstück des Festspielhauses. Aber was hieß hier wollen? »Allein bei dem fehlenden Gelde ist nicht viel von Gefallen oder nicht die Rede«, so Cosima lapidar. Der Pragmatiker Wagner sah im übrigen schnell die zwingende Notwendigkeit, Künstler und Publikum in Reichweite des Geschehens zu beköstigen. So ließ er denn – zur Rechten wie zur Linken dem Festspielhaus vorgelagert – zwei

Im mächtigen Schatten Cosimas ...

... suchte Sohn Siegfried sein Profil.

»Gaststätten« errichten. Einfachste, mit säulengestützten Veranden ausgestattete Holzbauten, die durch eine halbkreisförmige Böschung voneinander getrennt waren. Auf den Dächern Masten, an denen zur Festspielzeit munter die Fahnen flatterten. Auf dem Modell des Festspielhauses aus dem Jahr 1888, das in der Villa Wahnfried steht, kann man das alles noch sehen. In der großen Theater-Restauration fand nach dem Abschluß des ersten *Ring*-Zyklus am 18. August 1876 ein Bankett statt, zu dem, wie überliefert ist, ein Großteil des Festspielpublikums erschien. Wagner-Biograph Carl Friedrich Glasenapp berichtet, daß an diesem Bankett auch Wagners alter Dresdner Freund Gottfried Semper teilnahm, von dem die Entwürfe für das ursprünglich für München geplante Festspielhaus stammten. In der Restauration wurden den Künstlern nach den Aufführungen auch besondere Huldigungen dargebracht. Friedelind Wagner jedenfalls wurde Zeugin, wie Frida Leider, Bayreuths großartiger Brünnhilde, 1936 nach dem *Siegfried* in der damals allerdings schon mehrfach umgebauten Restauration solch donnernder Applaus entgegenscholl, »daß sie fast ihr riesiges Rosenbukett fallen ließ«. Bayreuths Künstler und ihr Publikum – ein noch unausgeschöpftes Kapitel.

Tristan und Isolde in Wieland Wagners Inszenierung von 1962.
2. Akt mit Birgit Nilsson und Wolfgang Windgassen (li.),
3. Akt mit Birgit Nilsson (re.)

❾ Ehemalige Kleine Restauration (»Rüdelheim«)

Die ursprünglich für die Künstler bestimmte Kleine Restauration, die einst links vor dem Festspielhaus stand, wurde bereits am 22. Mai 1876, zu Wagners Geburtstag, eingeweiht: mit der Wagner eigenen drastischen Munterkeit. Der »Meister«, so wird jedenfalls berichtet, stand, mit Bärenfell, Spieß und Helm bewehrt, auf der obersten Galerie und entließ die Gäste mit dem Nachtwächterlied aus den *Meistersingern*: »Hört, ihr Leut, und laßt euch sagen, die Glock hat zehn geschlagen; bewahrt das Feuer und das Licht, daß niemand kein Schad geschicht. Lobet Gott den Herrn!« Wagner als Meister-Sänger.

In der Kleinen Restauration residierten später der Chor und dessen hochgeschätzter Direktor Hugo Rüdel (1886–1934). Er hatte seine Wohnung direkt hinter dem Chorprobenraum, so daß der Bau als »Rüdelheim« in die Wagner-Geschichte einging. Rüdel war seit 1901 Chordirigent der Bayreuther Festspiele und als Chordirektor an der Berliner Staatsoper ebenfalls eine Institution. Als Toscanini 1930 den *Tannhäuser* auf dem Grünen Hügel dirigierte, war er vom Können Rüdels so beeindruckt, daß er ihm vor den versammelten Chor-Mannen einen schmatzenden Kuß auf die Stirn drückte, wie sich ein Chormitglied verzückt erinnerte. Mit diesem *Tannhäuser* begannen Toscaninis spektakuläre Bayreuther Triumphe. 1930 war für Bayreuth im übrigen ein Schicksalsjahr. Cosima starb hochbetagt am 1. April, Siegfried, der Sohn, am 4. August, während der Festspiele, für die er den *Tannhäuser* – nach 26 Jahren – erstmals neu inszeniert hatte. Eine Ära war vorbei. Eine neue – mit Siegfrieds junger Witwe Winifred und Heinz Tietjen, dem Generalintendanten der Berliner Staatsoper, als grauer Eminenz – begann.

Wir gehen nun rechts am Festspielhaus vorbei und sehen am äußersten Ende des Selbstbedienungsrestaurants eine eher unauffällige Tür, hinter der sich jedoch eine gewichtige Wagner-Organisation verbirgt.

❿ »Gesellschaft der Freunde«

Seit 1971 hat hier die »Gesellschaft der Freunde von Bayreuth« ihren Sitz, jener mächtige Kreis privater Förderer und Mäzene, die sich dem Erbe Richard Wagners und der Sicherung der Bayreuther Festspiele verpflichtet fühlen. Millionen hat der tatkräftige Verein denn auch im Laufe der letzten Jahrzehnte allein für den Erhalt und die Sanierung des Festspielhauses gespendet. Hilfsaktionen, dank derer nicht nur die Bühne technisch stets auf den neuesten Stand gebracht wurde, sondern auch Außenbau, Zuschauerraum und der mächtige Bühnenunterbau mit solidem Material stabilisiert und so für die Zukunft gerettet wurden. Eine der letzten großen Aktionen war 1995 die Restaurierung der wunderschönen Decke, die gleich einem Riesensegel den Zuschauerraum überspannt: in lichtem Pastellblau und feinsten Goldornamenten. Dieses »Velarium« hatte sich Wagner wie die amphitheatralische Anlage des Zuschauerraums ebenfalls beim antiken Theater abgeschaut.

Die Gesellschaft der Freunde konstituierte sich 1949. Bayreuth wieder flottzumachen hieß die Devise. 400 000 Mark sollten über die Mitglieder als Startkapital zusammengebracht werden. Das klappte zwar nicht auf An-

Modell des Festspielhauses mit Großer und Kleiner Restauration

hieb in der noch geldknappen ersten Nachkriegszeit, aber dank eines zinslosen Darlehens von 200 000 Mark, das Berthold Beitz, der spätere Krupp-Manager, vermittelte, konnte 1951 auf dem Grünen Hügel der Neustart gelingen. Noch heute sind die »Freunde« zu Recht stolz darauf, daß ihre Gesellschaft damals die entscheidende Initialzündung gab. Im Spiel der Kräfte, die über die Geschicke der Bayreuther Festspiele mit entscheiden, sind die »Freunde« jedenfalls ein unersetzbares Bindeglied. Laut Statut der seit 1973 als Stiftung operierenden Bayreuther Festspiele ist der rund 5000 Mitglieder starke Fördererkreis ohnehin fest in die Finanzierung einbezogen und hat somit auch Stimmrecht im Festspiel-Stiftungsrat.

⓫ Ehemaliger Malersaal
Von den alten Nebengebäuden, die zu Wagners Zeiten hinter dem Festspiel-

Malersaal, vor dem Abbruch 1971

haus standen, ist nichts mehr übriggeblieben: Das schon im Frühjahr 1876 errichtete Maschinenhaus und der einstige Malersaal sind längst abgerissen, ebenso der Mini-Pavillon des »Bedürfnishäuschens«, das uns wie die anderen frühen Bauten nur durch das Festspielhausmodell von 1888 in Wahnfried überliefert ist. Das Maschinenhaus war kaum mehr als eine Scheune. In ihm stand, wie Heinrich Habel es in seinem Standardwerk über das Festspielhaus beschrieben hat, die Dampfmaschine, eine alte ausrangierte Lok, die für die einschlägigen Szenen des ersten *Ring* den Dampf für Feuer und Nebelsäulen produzierte. Bühnen-Zauberkunst, die Felsen erglühen ließ und einen Alberich in Nichts auflöste: »Nacht und Nebel – Niemand gleich!« Technisch war man in Bayreuth auf dem neuesten Stand. Hier wurden denn auch zum erstenmal Dampf, Gas und Elektrizität zusammen eingesetzt. Später installierte man im Maschinenhaus auch die beiden »Lokomobile«, die Dampfkessel für die elektrische Beleuchtung des Festspielhauses.

Der Malersaal sollte ursprünglich als »Pension und Restaurant für mitwirkende Kräfte« benutzt werden. Hier wurden die *Ring*-Dekorationen hergestellt und die Leinwände für die Wandeldekorationen im *Parsifal* bemalt. 1924/25 erweiterte Siegfried Wagner das Bühnenhaus durch einen Magazinanbau, in dem die riesigen »ausgesteiften Versatzstücke« der inzwischen auf plastische Dreidimensionalität umgestellten Bühnenbilder lagern konnten. Auf Siegfried geht auch das

**Wieland Wagner bei der Probe
(mit Karl Böhm)**

Tannhäuser-Magazin von 1930 zurück, das die Bühnenbilder für seine letzte Neuinszenierung aufnahm.

Heute liegt hinter dem Festspielhaus und an dessen rechter Seite am Hang ein ganzer Trakt mit Probebühnen, Magazinen, Ballettsaal, Schreinerei und Schlosserei etc., die im Laufe der Jahrzehnte entstanden sind. Nur das neue »Rüdelheim«, der Chorprobenraum, liegt abseits – in einem gläsernen Pavillon unterhalb des Hauptrestaurants, versteckt zwischen Bäumen. Auch dieser Bau hat bereits seinen Spitznamen weg: »Sankt Norbert«, nach dem langjährigen Chordirektor Norbert Balatsch.

Wolfgang Wagner bei der *Lohengrin*-Probe mit Birgit Nilsson, 1953

Das Ausflugslokal Bürgerreuth in frühen Jahren

Wir steigen jetzt die Straße links hinter dem Festspielhaus hügelaufwärts – neben uns weite Wiesen, vor uns das Waldgebiet der Hohen Warte –, bis wir zur Bürgerreuth kommen.

⑫ Bürgerreuth
An der Bürgerreuth 20

Zur Bürgerreuth, einem populären Ausflugslokal schon vor Wagners Zeiten, sind auch Richard und Cosima oft hinaufmarschiert. Es lag ja nicht weit vom Theater entfernt.»Nach der Bürgerreuth«, heißt es denn auch mehr als einmal in Cosimas Tagebüchern, in denen sie penibel alle Spaziergänge mit Richard in und um Bayreuth verzeichnet hat. Auch für den 23. Juni 1881 ist da notiert, man habe sich »zu einem schlichten Mahle auf Bürgerreuth« mit dem befreundeten Maschinenmeister Brandt vereinigt. Beglückter Zusatz:»Das Theater wirkt wie ein Wunder!« Auch mit Adolph Menzel soll Wagner zur Bürgerreuth hinaufgegangen sein. Die Journalistin Sophie Rützow hat es in ihrem Erinnerungsband *Richard Wagner und Bayreuth* gefühlvoll ausgemalt. Menzel war bereits zu den Vorproben 1875 nach Bayreuth gekommen, um Wagner auf der Bühne vor dem Gebirgsprospekt der *Walküre*, zweiter Akt, in bezwingender Lebhaftigkeit festzuhalten. Rützow:»Es mag ein denkwürdiges Bild gewesen sein, wenn Richard Wagner und die ›kleine Exzellenz‹ zusammen vor dem Festspielhaus standen oder zur Bürgerreuth hinaufstiegen, um dort den rotverglimmenden fränkischen Sommerabend zur Rüste gehen zu sehen. Richard Wagner liebte ja die Bürgerreuth über alles, und wenn er einem

Gast etwas Besonderes bieten wollte, mußte der mit ihm die Bürgerreuth besuchen. Da standen dann wohl droben auf der Galerie des alten Empirehauses die beiden kleinen Männer. Und doch, welche Größe war um sie! Der eine ein Gigant im Reich der Töne, der andere im Reich der Malerei.« Menzels Bayreuther Wirtsleute dürften von der »kleinen Exzellenz« freilich nicht ebenso entzückt gewesen sein wie Menzel von Bayreuth, da der nur 1,45 m große Menzel, so Rützow, in seinem Zimmer kurzerhand Garderobenhaken in die Wand schlug, in jener Höhe, die ihm entsprach. Hammer und Haken trug er auf Reisen stets bei sich. Und die nahm er bei der Abreise auch wieder mit. Die Löcher ließ er vor Ort.

Auch Jean Paul war in seinen Bayreuther Jahren oft in der Bürgerreuth zu Gast. Er liebte den an die Bürgerreuth angrenzenden Maulbeerwald. Die Bayreuther Chronisten berichten zudem von einem stolzen Jubiläumsfest auf der Bürgerreuth am 30. Juni 1860. Da feierte man drei Tage und Nächte lang, daß man seit 50 Jahren unter dem Schutz der bayerischen Krone stand. Nicht ganz belanglos, daß just an diesem Tag Wagners *Tannhäuser* in der Markgräflichen Oper zur Aufführung kam. Seit frühen Wagner-Tagen ist die Bürgerreuth natürlich auch ein gefragtes Festspiellokal, bei den Künstlern ebenso beliebt wie bei den Festspielgästen.

Wagner bei den Proben
zum *Ring*, 1875.
Skizze von Adolph Menzel

Vom Restaurant Bürgerreuth führt die Straße geradewegs weiter hinauf in das Waldgebiet der Hohen Warte. Vor dem Blockhaus mit dem Kinderspielplatz biegen wir links ab und erreichen bei leichtem Anstieg nach wenigen Minuten den Siegesturm.

⓭ Siegesturm

Vom Turm aus hat man einen herrlichen Ausblick auf das gesamte fränkische Umland, auf die Jura-Berge, den Frankenwald und den »Urgebirgswall« des Fichtelgebirges. Dort oben liegen dem Wanderer auch die Stadt und das Festspielhaus zu Füßen. Wagner und Cosima liebten den Weg hinauf auf die Hohe Warte. »Mit den Kindern am Morgen spazieren zum Siegesturm, während sie ›Entdeckungsreisen‹ machen«, heißt es im August 1872. Zur selben Zeit wie das Festspielhaus wurde auch der Siegesturm erbaut, ein Wahrzeichen Bayreuths wie die Doppeltürme der Stadtkirche. Der Siegesturm entstand auf Betreiben eines Bürgerkomitees zur Erinnerung an die Gefallenen des Kriegs 1870/71 und an den Sieg über die Franzosen. Eine Reverenz an den Geist des Patriotismus und der nationalen Stärke, den auch Wagner nur zu gern beschwor. Zur Feier des Geburtstags Ludwig II. erleuchtete man in der Nacht vom 24. auf den 25. August 1882 den Siegesturm und die anliegenden Hügel mit bengalischen Feuern und Feuerwerk: eine Huldigungsgeste an den Bayernkönig, der freilich zur herben Enttäuschung Wagners zur *Parsifal*-Uraufführung nicht erschien.

Dabei hatte Wagner ihn mehrfach mit überschwenglichsten Worten angefleht, nach Bayreuth zu kommen. Ja, er hatte Ludwig, der es haßte, von Menschen angestarrt zu werden, eigens mit dem »Königsbau« vor dem Festspielhaus einen separaten Eingang zur Königsloge geschaffen. Durch den kam man in späteren Zeiten schnell zu »Winifreds Kabuff«, einem kleinen Zimmer, in dem die Festspielchefin während der Pausen Gäste empfing.

Wir gehen wieder zum Festspielhaus hinunter. Rechts gegenüber dem Seiteneingang ist die Post, in der man während der Festspielzeit Briefe und Karten mit dem Sonderstempel der Festspiele abschicken kann. Neben dem alten Sanitäterhäuschen, verborgen hinter einer Mauer an der Ecke zur Parsifalstraße, liegt die Villa Schuler, die Wagner-Enkel Wolfgang im Jahr 1954 zum Wohnsitz nahm (Festspielhügel 3). Er hatte nach dem Zweiten Weltkrieg nicht wie sein Bruder Wieland in Wahnfried wohnen wollen, sondern hatte nach einer Zwischenstation im Gärtnerhäuschen von Wahnfried diese Villa in direkter Nähe des Festspielhauses erworben.

*Wer nicht gleich zum Bahnhof und ins Stadtinnere zurückkehren will, sondern noch Lust auf einen kleinen Schlenker hat, geht am Sanitäterhäuschen vorbei von oben in die **Parsifalstraße** hinein (Achtung: Keine Durchfahrt für Autos!). Hier wohnten vor allem während der dreißiger Jahre viele prominente Festspielkünstler, so die Sopranistin Maria Müller, die gefeierte Sieglinde, Elsa und Elisabeth, der langjährige Bayreuth-Dirigent Karl Muck und Max Lorenz, der zehn Jahre lang auf dem Grünen Hügel*

*die großen Wagner-Partien vom Tristan bis zum Siegfried sang. Die schwedische Sopranistin Nanny Larsén-Todsen residierte in der heutigen Nr. 25a, der späteren Rosvaenge-Villa, die der dänische Tenor im Jahr 1941 an den berüchtigten Martin Bormann verkaufte. Auch in der nahegelegenen **Rheingold-** und **Meistersingerstraße** siedelten sich die Sänger zur Proben- und Festspielzeit an, z. B. Heinrich Schlusnus in der Rheingoldstraße 14. Man war hier eben – mitten im baumreichen Villenviertel der Stadt – in Sprungnähe zum Festspielhaus.*

Über die Bürgerreuther Straße gehen wir wieder zurück zum Bahnhof, wo uns in der Bahnhofstraße nicht nur der Goldene Hirsch (Nr. 13), sondern auch das beliebte Festspiellokal Weihenstephan (Nr. 5) einlädt, vor dem direkt neben dem Eingang links für die Künstler in der Festspielzeit ständig ein Tisch reserviert ist. Und kaum ein Sänger, der da nicht sitzt inmitten der Gästeschar.

**Das Markgräfliche Opernhaus
mit der Fassade
von Joseph Saint-Pierre**

Dritter Spaziergang
»Man richtet sich ja stets nach Rang und Würde«
Markgräfin Wilhelmines Bayreuth

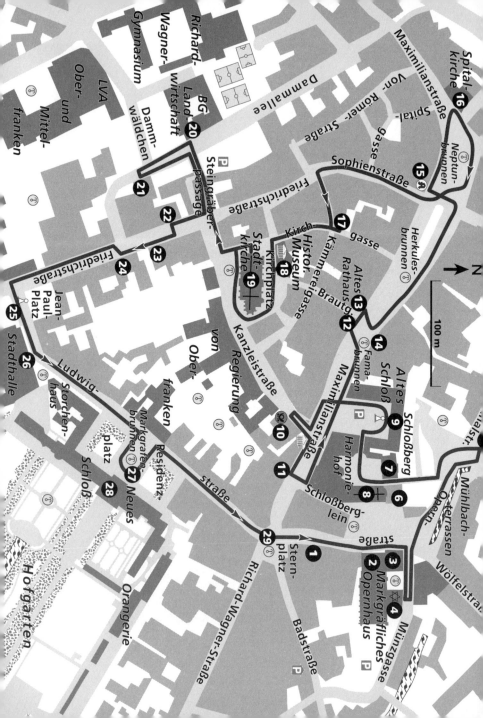

Unser dritter Spaziergang führt uns mitten hinein in das Bayreuth der Markgräfin Wilhelmine, die der fränkischen Residenzstadt ihren europäischen Glanz gegeben hat. Sie jedenfalls schuf an der Seite von Markgraf Friedrich mit der exorbitanten Pracht der Markgräflichen Oper, den phantastischen Interieurs ihrer neuen Schlösser, mit ihren Parks und Gartenanlagen den Rahmen für ein höfisches Arkadien von höchster künstlerischer Anziehungskraft. Zwar haben nicht zuletzt die NS-Jahre und der verheerende Bombenhagel der Alliierten gegen Ende des Zweiten Weltkriegs tiefe Wunden ins markgräfliche Bayreuth geschlagen. Und auch die Nachkriegszeit mit ihrer leichtfertigen Abrißpolitik des historisch Gewachsenen hat teil an den eher unglücklichen städtebaulichen Entwicklungen. Doch die bedeutendsten Gebäude der Markgrafenzeit sind erhalten, strahlen weiter in ihrem außerordentlichen Glanz und Stilwillen. Wir beginnen unseren Rundgang wie auf unserem ersten Spaziergang am Sternplatz, dem einstigen Kutscherplatz oder Maulaffenplatz. Von hier aus hat man bereits die schönsten Einblicke in die strahlenförmig ausgreifenden Straßen, in denen sich die Epochen der Stadtgeschichte vom Mittelalter über Renaissance, Barock und Wilhelminisches Rokoko bis in die Moderne in faszinierenden Schichten überlagern. Vom Sternplatz mit der Hof-Apotheke, dem Gasthof Wollffenzacher, der Markgrafen-Buchhandlung und dem Goldenen Anker gehen wir zuerst in die Opernstraße hinein, um dann in einem Bogen über den Schloßberg, die Schloßkirche und das Alte Schloß in die Maximilianstraße einzu-

scheren. Die Strecke ist kurz, aber reich an Geschichte und Geschichten.

❶ Hotel Goldener Anker
Opernstraße 6

Seit 1753 existiert dieses Hotel. Und man ist stolz darauf, ist doch ein anderer renommierter alter Bayreuther Gasthof, die »Sonne«, die zu Wagners Zeiten direkt neben der Hof-Apotheke (Richard-Wagner-Straße 4/6) lag, ganz von der Bildfläche verschwunden. An seiner Stelle steht heute ein modernes Geschäftshaus. Dabei wurde in der »Sonne« Bayreuther Geschichte geschrieben, von wichtigen Wagner-Séancen bis zu den folgenschweren Versammlungen der Nationalsozialisten, die vom Sonnensaal aus

Droschke des Hotels Goldener Anker

Herbert von Karajan

**Die beiden Bayreuther »Brünnhilden«
Martha Mödl und Astrid Varnay auf
Dreirad-Kurs**

zur Eroberung Bayreuths ansetzten. Die »Sonne« konnte sich auch mit dem Besuch Sissis, der Kaiserin Elisabeth von Österreich, und des Walzerkönigs Johann Strauß brüsten.

Aber auch der Goldene Anker hat über die Jahrzehnte hinweg viel Prominenz gesehen. Das Gästebuch hat sie ebenso wie die Bayreuther »Fremdenlisten« sorgsam registriert. Schon Ludwig Tieck und Wilhelm Heinrich Wackenroder, die beiden durchs Bayreuther Land reitenden Frühromantiker, kehrten auf ihrer studentischen Pfingsttour hier ein. »Wir logierten sehr gut im Anker, und speisten dort an der table d'hôte mit preußischen Offizieren«, schrieb Wackenroder später nieder. Die Dirigenten Bruno Walter, Arthur Nikisch, auch Hans Pfitzner waren im Anker zu Gast, ebenso wie Gerhart Hauptmann, Thomas Mann, Fritz Kreisler und NS-Größen wie Joseph Goebbels, Baldur von Schirach und Hermann und Emmy Göring. In der Nachkriegszeit kamen Georg Solti und Herbert von Karajan, Elisabeth Schwarzkopf, Martha Mödl, Birgit Nilsson, Wolfgang Windgassen und Vicco von Bülow.

Im Goldenen Anker fand 1873 auch das Festbankett zu Wagners 60. Geburtstag statt. Der musikalische Teil der Feier war zuvor im Markgräflichen Opernhaus über die Bühne gegangen – mit einer »Concert-Ouverture«, bei der Wagner erst spät ein Licht aufging, daß es sein eigenes Jugendwerk war. Auch die »Künstler-Weihe« von Peter Cornelius stand auf dem Programm, mit »lebenden Bildern«, wie Wagners beflissener Biograph

Carl Friedrich Glasenapp überlieferte. Das war 1873. Fünfzig Jahre später, 1923, nächtigte Adolf Hitler im Goldenen Anker, als er – Cosima lebte noch – Winifred Wagner seine erste Aufwartung in Wahnfried machte. *Nur wenige Schritte weiter, die Opernstraße hinunter, liegt eine der Hauptattraktionen Bayreuths.*

❷ Markgräfliches Opernhaus
Opernstraße 14

Das Markgräfliche Opernhaus zählt zu den schönsten und prächtigsten spätbarocken Theatern Europas. Es ist ein Solitär höfischer Theaterbaukunst: Außen von nobler Eleganz und Zurückhaltung, zeigt es im Innern einen Überschwang der Ausstattung und des raffinierten Dekors, wie es nur einem Meister wie dem großen Italiener Giuseppe Galli Bibiena gelingen konnte. Mit diesem Opernhaus setzte sich Markgräfin Friederike Sophie Wilhelmine (1709–1758), die durch die drakonische Heiratspolitik ihres Vaters, des preußischen Soldatenkönigs Friedrich Wilhelm I., in die abgelegene Residenzstadt Bayreuth verschlagen worden war, in ehrgeizige Konkurrenz zu den Höfen von Dresden, München, Mannheim und Berlin. Und wenn Musik, Theater, Kunst und Architektur denn überhaupt eine Macht darstellen, die Bewunderung erzwingt, so hat Wilhelmine mit ihrem Bayreuther Opernhaus jedenfalls den einzig ihr möglichen Weg zu angemessener Selbstbehauptung im Kreise des hochmütigen europäischen Adels beschritten.

Insofern war die Oper – ähnlich wie rund 125 Jahre später Wagners Bayreuther Festspielhaus – auch eine Provokation. Denn was konnte diese von allerfrühester Kindheit an für einen (den englischen) Königsthron erzogene Prinzessin, die sich einer rigiden preußischen Staatsräson opfern mußte, in diesem blinden Flecken Oberfrankens tun, um ihren Rang bestätigt zu sehen? Nur die Künste garantierten ihr Freiheit, Kompensation. Während ihr königlicher Bruder Friedrich II. Kriege führte, führte sie ihr Opernhaus, schuf Gärten, Parks, Theater und Schlösser. Sie war keine Revolutionärin, die gegen höfische Hierarchien und Order rebellierte. Auch als frühe Emanzipierte kann man sie nicht sehen. In diesem Sinne war sie keine

Kronprinz Friedrich von Preußen, 1736. Gemälde von Antoine Pesne

moderne Frau, blieb vielmehr zeitlebens eingezwängt ins Streckbett einer alles regulierenden Etikette. Gleichwohl war sie eine starke Persönlichkeit, voller Geist und Tatendrang: eine Realistin, wo es mit preußischer Disziplin und Beharrlichkeit ihre Ziele zu verfolgen galt, eine Idealistin in ihrer anrührend emotionalen Bindung an den ihr gleichgesinnten, mit ähnlichen musischen Talenten begabten Bruder Friedrich, der ihr in seinen Briefen bewegend versicherte, sie sei ihm mehr wert als Thron und eigenes Leben. Auch dem ihr aufgezwungenen Ehemann, dem liebenswerten Erbprinzen und späteren Markgrafen Friedrich von Bayreuth, war sie in durchaus leidenschaftlicher Zuneigung verbunden. Daß dieser sie nonchalant, wie damals üblich, mit ihrer Hofdame und Freundin, Wilhelmine Dorothea von Marwitz, betrog, war ein bitterer Schock für sie. Vergleichbar nur dem bei ihrer Ankunft in Bayreuth, als man ihr im Schloß Gemächer zuwies, »mit schmutzigem Brokat ausgeschlagen«, zerschlissenen Vorhängen und zerfetzten Damastmöbeln. »Diese Pracht war ich nicht gewohnt«, schrieb sie später sarkastisch in ihren *Memoiren*, diesem fesselnden Zeitdokument, das die Schriftstellerin Annette Kolb mit einem so gescheiten Kommentar versehen hat. Königliche Pracht in Berlin – desolate Verhältnisse in Bayreuth: Auf dieser Folie muß man denn auch die ostentative Prachtentfaltung des Markgräflichen Opernhauses sehen, das das Markgrafenpaar zur Hochzeit seiner einzigen Tochter Elisabeth Friederike

Markgraf Friedrich von Bayreuth, um 1731. Gemälde von Antoine Pesne

Sophie mit Herzog Carl II. Eugen von Württemberg am 23. September 1748 mit mehrtägigen Feierlichkeiten eröffnete. Ein glorreiches, gleichwohl »ruinös teures Ereignis«, wie man heute weiß, bei dem die Musik nur funkelndes Beiwerk war. »Gegen Abend führte man eine neue Italiänische Opera auf, *Artaxerses* genannt. Die Hochfürstl. Herrschaften begaben Sich zu diesem Ende in vier neuen kostbaren Staats-Wägen in das prächtige Opern-Hauß, und speißten alldorten währen der Opera, in der Loge«, heißt es im Protokoll des württembergischen Oberhofmarschallamts. Dabei war Wilhelmine selbst doch eine passionierte und auch gewandte Musikerin, Opernlibrettistin und Komponistin.

Markgräfin Wilhelmine in Pilgertracht, um 1750. Gemälde von Antoine Pesne

Markgraf Friedrich hatte sie ausdrücklich mit allen Belangen des Bayreuther Theater- und Opernwesens betraut. »Das sind so meine Staatsgeschäfte«, ließ sie nicht ohne einen Hauch schmerzlicher Ironie ihren Bruder wissen, mit dessen Berliner Oper, von Knobelsdorff entworfen, sie natürlich insgeheim zu konkurrieren suchte.

Und wenn man das Opernhaus betritt, sieht man sich im Innern denn auch in die Wunderwelt eines Theater- und Bühnenraums von wahrhaft fürstlichem Gepränge versetzt. Hier hat Giuseppe Galli Bibiena, der bedeutendste italienische Theaterarchitekt seiner Zeit, unter Mithilfe seines Sohns Carlo im Stil italienischer Logentheater

ein Meisterwerk geschaffen. Wunderbar schwingend in seinem glockenförmigen Aufriß, seinen delikaten Farben und bewegten Ornamenten, den anmutigen Masken und Engelsfiguren, dem Säulenwerk und den Trompeterlogen, von denen aus die Ankunft des Fürstenpaars im Theater mit Fanfaren festlich angekündigt wurde. Über dem Bühnenportal das markgräfliche Wappen mit dem Roten Adler, von zwei Allegorien der ruhmkündenden Fama getragen und bekrönt von der Königskrone, Insignie der Macht, die der hohen Stellung Wilhelmines als preußischer Königstochter entsprach und dem Haus natürlich besondere Reputation verlieh. »Denn man richtet sich ja stets nach Rang und Würde!« heißt es vielsagend in einem Brief an ihren Bruder.

Rang und Würde – welch eminente Rolle sie spielten, zeigt sich allein schon daran, daß der Blick der in den Logen plazierten Hofgesellschaft keineswegs zuerst auf die Bühne gerichtet war, sondern mit entschiedener perspektivischer Gewalt auf die mit prunkendem Baldachin überwölbte Fürstenloge und somit auf den majestätischen »Auftritt« des Markgrafenpaars und die »göttliche« Präsenz der noch ganz von absolutistischen Vorstellungen geprägten Regenten. Das Theater als Fürsten-Verherrlichung, bei dem das Drama auf der Bühne Weisheit, Gerechtigkeit und Friedenskunst der Herrschenden zu spiegeln hatte. Die Besucher waren letztlich, so Peter Krückmann im Katalog zur großen Bayreuther Wilhelmine-Hommage anläßlich des 250. Geburtstags des

Wagner dirigiert Beethovens *Neunte* im Opernhaus zur Feier der Grundsteinlegung des Festspielhauses am 22. Mai 1872

Opernhauses 1998, »Teil der Inszenierung, ja der Dekoration, nicht allzu unähnlich den geschnitzten Köpfen über dem ersten Rang, die gleichermaßen geduldig und immer von neuem beglückt die Ankunft des Herrscherpaares erwarten«. Soviel zum Programm, zur »Botschaft« des Hauses, an dem namhafte italienische Opernensembles und berühmte Sänger wie Giacomo Zaghini und Steffanino Leonardi als Gäste wirkten.

Welchen Rang Wilhelmine als Komponistin einnimmt? Von ihren Werken sind nur ein Cembalokonzert und ihre wohl erste Oper *Argenore* aus dem Jahr 1740 erhalten, eine Opera seria, in der ein Tyrann der Held des dramatischen Geschehens ist. Ihre musikalische Sprache dafür ist gewiß in vielem formelhaft, stützt sich jedoch keineswegs nur auf gängige Harmonik und Motive, läßt vielmehr bereits die Luft der Frühklassik ein. »Hübsche Dilettantenarbeit«, wie es mitunter heißt, ist für *Argenore* also doch ein zu herber Urteilsspruch. Den Reiz des Ungewöhnlichen hat in jedem Fall ihr von Voltaires Ideen inspiriertes musikalisches Festspiel *L'huomo* (»Der Mensch«), für das Wilhelmine den Text und zwei Kavatinen, der Münchner Hofkapellmeister Andrea Bernasconi die übrige Musik schrieb. Wil-

helmine ließ das prätentiös um die Erschaffung der Welt kreisende Werk, in dem beim heftigen Widerstreit von Vernunft und Leidenschaft am Ende das Gute über das Böse siegt, zum Besuch ihres Bruders Friedrich des Großen 1754 in Bayreuth aufführen. »Es ist sehr zu befürchten, daß dieser Triumph außerhalb des Theaters niemals existieren wird«, schrieb sie dazu. Welch eine Einsicht! Im Markgräflichen Opernhaus triumphierte auch Wagner, als er zur musikalischen Feier der Grundsteinlegung seines Festspielhauses am 22. Mai 1872 vor illustrer Gästeschar Beethovens *Neunte* dirigierte. Im Gefolge auch Friedrich Nietzsche. Da in Bayreuth an diesem Tag, der zugleich Wagners 59. Geburtstag war, ein Unwetter niederging, hatte man auch die offiziellen Reden ins Opernhaus verlegt. Cosima, die Wagner mitsamt den fünf Kindern demonstrativ auf der Bühne Platz nehmen ließ, sah dabei selbst »die ernstesten Männer« mit »Tränen in den Augen«. Auch das Festkonzert in der Oper ließ sie nicht unberührt: »Um 5 Uhr die Aufführung, beginnend mit dem Kaisermarsch. Die 9te Symphonie ganz herrlich, alles im Gefühl von der Daseins-Wirklichkeit-Last befreit zu sein.«
Wilhelmine, die geistvoll Vieltalentierte, und ihr ebenfalls musik- und kunstsinniger Markgraf folgten, so die Überlieferung, den Opernaufführungen keineswegs immer nur von der glamourösen Fürstenloge aus. Sie ließen sich lieber auf zwei vergoldeten und mit himmelblauem Samt bezogenen Sesseln vor der ersten Reihe im Parkett nieder. Der Markgraf soll gar lässig an der Balustrade des Orchestergrabens gelehnt haben, in jener Pose vorgeblicher Bescheidenheit, die den Menschen im Herrscher sichtbar machen sollte. Bis zu Beethovens »Seid umschlungen, Millionen«, mit dem Wagner den Grundstein zu seinem Festspielhaus legte, war es jedoch noch weit.

❸ Redoutenhaus
Opernstraße 16
Unmittelbar verbunden mit der Markgräflichen Oper ist das »Opera- und Redouten-Hauß«, in dem Wilhelmine ebenfalls lustvoll gewirkt und ihrer Theater- und Opernleidenschaft gefrönt hat. Hier wurde – das Opernhaus stand noch nicht – 1740 wahrscheinlich auch ihre erste Oper *Argenore* aus der Taufe gehoben. In der Titelrolle des tyrannischen Monarchen: der umjubelte Alt-Kastrat seiner Zeit, Giovanni Carestini, eine Sänger-Akquisition, die bereits in Händels Londoner Ensemble Furore gemacht hatte. Erbaut hatte das Haus 1714 Johann David Räntz, Hofarchitekt des ebenfalls theater- und opernsüchtigen Markgrafen Georg Wilhelm. Der vordere Teil des Gebäudes diente damals als Redoutenhaus (Redoute = Maskenball), der hintere als Komödienhaus. Wilhelmine funktionierte es 1740 um und ließ vorn Theater und Oper spielen. Den schönen, zarten Rocaille-Stuck an den Decken im Erdgeschoß des heutigen Operncafés hat man von den Decken des Mittelgeschosses abgenommen und in die un-

teren Räume »verlegt«. Das gibt dem Ganzen besonderen Charme.

Wir biegen hinter dem Redoutenhaus rechts in die Münzgasse ein, gehen an dem heute offenen Hof vorbei, den ein imposanter Brunnen mit Maske aus dem Park von Schloß Fantaisie schmückt, und kommen zur Synagoge.

Bayreuths Synagoge

❹ Synagoge
Münzgasse 2

Bayreuth und die Juden – das ist ein Kapitel der Stadtgeschichte, das eine besondere Brisanz hat in einem durch die NS-Diktatur schwer belasteten Ort. Daß die um 1760 entstandene Bayreuther Synagoge die sogenannte Reichskristallnacht im November 1938 überstand, verdankt sie ihrer direkten Anbindung an das Markgräfliche Opernhaus. Aus Sorge, beim Brand der Synagoge könne auch dieses Juwel der Theaterbaukunst in Flammen aufgehen, »begnügte« man sich mit der Zerstörung und Plünderung des Innenraums. Ob Winifred Wagner bei der »Rettung« der Synagoge vor NS-Brandsätzen tatsächlich ihren Einfluß geltend gemacht hat, wie Wagner-Enkelin Verena kolportiert – »In den 70er Jahren hat sich ein Mitglied der jüdischen Gemeinde im Siegfried-Wagner-Haus bei meiner Mutter bedankt.« –, sei freilich dahingestellt.
Wagners Verhältnis zu den Juden, das nicht nur in seiner verhängnisvollen Schrift *Das Judentum in der Musik* (1850, Neuauflage 1869) seinen Niederschlag fand, zeigt sich gerade in Bayreuth in höchst ambivalentem Licht, fanden sich doch Musiker jüdi-scher Herkunft oder jüdischen Glaubens unter seinen engsten Mitarbeitern. So Heinrich Porges, so auch der tief zerrissene Russe Joseph Rubinstein, der bei den häuslichen Musikabenden in Wahnfried als Pianist dien-

Parsifal-**Dirigent Hermann Levi**

84

Künstlerabend bei Richard Wagner, um 1875. Mit Lilli Lehmann, Joseph Rubinstein,
Hans Richter, Richard Wagner, Amalie Materna, Franz Betz, August Wilhelmi,
Albert Niemann und Karl Brandt (von li.)

te und sich Wagner mit den Sätzen empfohlen hatte: »Ich bin ein Jude. – Hiermit ist für Sie Alles gesagt.« Von Hermann Levi ganz zu schweigen, dem Dirigenten der *Parsifal*-Uraufführung, der seine Liebe zu Wagner mit Stunden bitterster innerer Pein bezahlte. Levi stammte aus einer alten Rabbiner-Dynastie, sein Vater war Oberrabbiner in Gießen. Gerade ihn sein »allerchristlichstes Werk« dirigieren zu lassen kam Wagner schwer an. Doch Ludwig II. wollte ihm das Münchner Hoforchester für Bayreuth nur mit Hermann Levi an der Spitze überlassen. Wagner mußte also klein beigeben, suchte Levi aber vorher zur christlichen Taufe zu drängen, wie Cosimas Tagebuch verrät. »Vorher neh-

men wir einen Akt mit Ihnen vor. Ich möchte, es gelänge mir, die Formel dafür zu finden, daß Sie sich ganz unter uns als zu uns gehörig empfinden«, so der Komponist. Allein »das umschleierte Gesicht« Levis habe ihn davon abgebracht, das heikle Thema weiter zu verfolgen.

Nicht ohne feine Ironie dagegen eine andere Episode aus der Bayreuther Wagner-Zeit: Für den Festakt zur Grundsteinlegung des Festspielhauses 1872 im Markgräflichen Opernhaus nämlich lieh die israelitische Kultusgemeinde ihren mächtigen Gaslüster aus. Wagner als Dirigent von Beethovens *Neunter* in synagogalem Licht. Über die seltsame Anziehungskraft, die Wagners Werk gerade auch auf viele Juden ausgeübt hat, ist dabei noch kein Wort gesagt.

Wir kehren um und kommen direkt zu den neugestalteten Mühlbach-Terrassen, hinter denen die Opernstraße mit der Kanalstraße und dem Luitpoldplatz zusammentrifft. Tritt man ein wenig zurück, sieht man die Schloßberg-Silhouette vor sich mit der markanten Rückfront des Alten Schlosses, dem trutzigen Schloßturm und den beiden sogenannten Gontard-Häusern. Doch bevor wir den Schloßberg hinaufsteigen, werfen wir noch einen Blick auf das einstige »Haus der deutschen Erziehung«, dessen mächtiger Koloß an der Ecke Luitpoldplatz/ Kanalstraße steht.

Von den Bomben der Alliierten zerstört: Das Haus der deutschen Erziehung, 1945

➎ Ehemaliges Haus der deutschen Erziehung Luitpoldplatz 5

Man hat das »Haus der deutschen Erziehung« nach dem Zweiten Weltkrieg schamhaft mit einer neuen Vorderansicht bedacht. Und tatsächlich kann man heute nur noch vom Luitpoldplatz aus erkennen, daß es sich bei diesem Bau, in dem jetzt die Energieversorgung Oberfranken untergebracht ist, um geradezu klassische NS-Architektur handelt. »Bayreuth ist des Reiches erste Kultur- und Erziehungsstätte«, hatte damals die Zeitschrift *Der deutsche Erzieher* proklamiert. Der mit einem mächtigen Walmdach bedeckte Erziehungstempel war von dem Bayreuther Architekten Hans Reissinger, dem Onkel von Wieland Wagners Frau Gertrud, entworfen worden. Joseph Goebbels nannte ihn klarsichtig einen »schaurigen Kasten«. Im Innern war die »Weihehalle« mit der überlebensgroßen, geschmacklosen Steinskulptur einer von drei Kindern umringten Mutter geschmückt. 30 000 Lehrerinnen und Lehrer weihten den Koloß 1936 anläßlich der Reichstagung des NS-Lehrerbundes in Bayreuth ein. Amerikanische Bomben trafen das Gebäude Ende des Zweiten Weltkriegs schwer und mit ihm auch die »deutsche Mutter«.

Ein anderes Monument der NS-Herrschaft, das schräg gegenüber in Richtung Alexanderstraße stand, sollte sich dagegen selbst ad absurdum führen: das sogenannte Denkmal der Bewegung – ein riesiges Hakenkreuz aus schwarzem Marmor, das die Bayreuther nächtens als Pissoir benutzten.

Wir gehen jetzt über die mittlere breite, neue Treppe den Schloßberg hinauf. Links an der Freitreppe liegt das ehemalige Gontardsche Wohnhaus, rechts das Palais d'Adhémar.

❻ Ehemaliges Wohnhaus von Carl Philipp Christian von Gontard Schloßberglein 3

Porträt des Architekten Carl Philipp Christian von Gontard. Anonym

Hier hatte sich der vermutlich aus einer Hugenottenfamilie stammende Carl Philipp Christian von Gontard (1731–1791) seinen exponierten Bayreuther Wohnsitz geschaffen: ein Stadthaus, das vor allem mit seiner Gartenfassade das frühe und eigenwillige Können des Architekten verrät. Gontard war, bevor er Baumeister des Markgrafenpaars Friedrich und Wilhelmine wurde, nach seiner Tanzausbildung »Maître de ballet« am Bayreuther Hof gewesen – in der Nachfolge seines Vaters, der es als Tanzmeister und Erzieher der Prinzessin Friederike zu beachtlichem höfischen Ansehen gebracht hatte. Bedenkt man, daß Gontard kaum 28 Jahre alt war, als er mit dem Bau seines Hauses sowie des nebenliegenden d'Adhémar-Palais begann, kann man ermessen, wie glänzend seine Karriere verlief. Seine Bayreuther Bauten, die mit ihren klaren Formen zum Teil den Frühklassizismus vorwegnehmen, haben jedenfalls dem Stadtbild eine anmutige Weltläufigkeit gegeben. Friedrich der Große wußte, wen er mit Gontard nach Berlin und Potsdam zog, als dieser nach dem Tod Wilhelmines und des Markgrafen für sich keine Zukunft mehr in Bayreuth sah. In Berlin tragen die bei-den Domkuppeln am Gendarmenmarkt seine exquisite Handschrift, in Potsdam sind es die Communs des Neuen Palais und der Freundschaftstempel im Park von Sanssouci, den Friedrich der Große für seine Schwester Wilhelmine errichten ließ. Im Bayreuther Gontard-Haus hat heute das Katholische Pfarramt der Schloßkirche seinen Sitz.

❼ Ehemaliges Palais d'Adhémar (»Harmonie«) Maximilianstraße 10

Um etliches auffälliger entwarf Gontard das Palais für den Marquis d'Adhémar, der auf Vermittlung Voltaires als Kammerherr an den Bayreuther Hof gekommen war und bei Wilhelmine als »Mann mit viel Geist und

Bayreuths berühmte Silhouette mit den beiden Gontard-Häusern (li.), dem Alten Schloß (re.) und dem Schloßturm

Kenntnissen« in besonderer Gunst stand. So wird auch das aufwendigere »Design« der Gartenfassade verständlich, die mit ihrem Altan, dem stuckverzierten Giebeldreieck, in dem sich munter gärtnernde Putten tummeln, und dem eleganten Rankenwerk über den Fenstern des Obergeschosses der Bedeutung des adligen Bauherrn Rechnung trug. 1805 wurde das Palais Sitz des Bayreuther Gesellschaftsvereins »Harmonie«, den auch Wagner mit seiner Familie gelegentlich besuchte. Hier traf sich »tout Bayreuth« zu Schach- und Kartenspiel, zu Kaffee und Bällen. In der »Harmonie« hat auch Jean Paul gesessen, Zeitung gelesen, Bier getrunken und die Runde mit seinen Wetterprognosen beglückt.

Einmal soll er in den Gesellschaftsräumen der »Harmonie« gar mit seinen geliebten Hunden im Schlepptau erschienen sein. Da war's aus mit der Harmonie.

Unmittelbar an Gontards Wohnhaus schließt sich die Schloßkirche an, deren schlichte Außenfronten, die manche gar als eher armselig bezeichnen, nichts von der Schönheit des Innern verraten. Wir betreten die alte Hofkirche von der Schloßseite aus, also vom sogenannten Harmoniehof, in dem der mächtige, aus dem 16. Jahrhundert stammende achteckige Schloßturm die frühe Wehrhaftigkeit Bayreuths demonstriert.

❾ Schloßkirche

Wundervoll in dem hellen, weiten Kirchenraum, den Markgraf Friedrich nach dem Schloßbrand 1753 wiedererrichten ließ, ist die Stuckierung der Decke, die von dem Mailänder Bildhauer Jean Baptiste Pedrozzi stammt, einem Meister seines Fachs. Unter der einstigen Herrschaftsloge die nach Wilhelmines Tod entstandene Fürstengruft: eine Schöpfung Gontards. Diesen Ort hatte Markgräfin Wilhelmine sich als letzte Ruhestätte gewünscht. Hier liegt sie denn auch im schwarzen Marmor-Sarkophag gemeinsam mit Markgraf Friedrich und ihrer beider Tochter Elisabeth Friederike Sophie, Herzogin von Württemberg. Mit dem weißen Marmordekor der Lorbeerkränze und -girlanden, der

Wagner und Bruckner in Bayreuth. Scherenschnitt von Otto Böhler

Urnenvasen und klagenden Jungfrauen schlug Gontard – ganz in Wilhelmines Geist – einen feinen Wehmutston an, der ohne jede Sentimentalität auskommt.

Die einst protestantische Kirche gehört seit 1813 der katholischen Pfarrei. So fand hier denn auch 1886 die Trauerfeier für Franz Liszt statt, bei der Anton Bruckner (1824–1896) die Orgel spielte. Ein Ereignis, auf das eine Plakette an der Eingangspforte der Schloßkirche am Schloßberglein stolz verweist. Sie verschweigt allerdings, daß Bruckner kein Werk des Verstorbenen spielte, sondern in seiner »Grabrede auf der Orgel« – offenbar auf Geheiß Cosimas – über Themen aus dem *Parsifal* improvisierte. Gralsbotschaften fürs Jenseits.

Bruckner war erstmals 1873 in Bayreuth zu Besuch, in den Jahren 1876 und 1882 dann auch Gast der Festspiele, während derer er bescheiden in der Kulmbacher Straße, dann in der Ludwigstraße Nr. 1 wohnte. Gleich bei seiner ersten Bayreuth-Visite hatte er sich in eine für ihn höchst peinvolle Situation manövriert, war er Wagner doch um die Widmung einer seiner Sinfonien angegangen, hatte aber nach beträchtlichem Bierkonsum – Wagner soll dem Verschüchterten immer wieder aus einem Fäßchen nachgezapft haben – völlig vergessen, ob er Wagner nun seine zweite oder dritte Sinfonie widmen durfte. Es war die Dritte. Der Dresdner Bildhauer Gustav Adolf Kietz, dem Wagner gerade Modell für eine Porträtbüste saß, half dem armen Bruckner auf die Sprünge.

Wir verlassen die Kirche wieder in Rich-

tung Harmoniehof. Durch einen Torbogen gelangen wir auf den Ehrenhof des Alten Schlosses, der sich weit zur Maximilianstraße hin öffnet. Hier verweist uns das Bronzestandbild Maximilian II. von Bayern auf die wechselvolle Geschichte Bayreuths, das nach dem Erlöschen der Bayreuther Linie der Hohenzollern 1769 erst an die Ansbacher, dann an Preußen fiel und schließlich nach der napoleonischen Besetzung durch den Staatsvertrag von Paris 1810 bayerisch wurde.

❾ **Altes Schloß**
Spannungsreich wie die Geschichte Bayreuths war auch das Schicksal des Alten Schlosses, das uns heute vor allem mit seinen Reliefmedaillons antiker Götter, römischer Caesaren und unbekannter draller Schöner ins Auge springt. Zwischen den Pilastern aufgereiht, sind sie die eigentlichen Hingucker der seit geraumer Zeit als Behördensitz dienenden Schloßanlage, der Charles Philipp Dieussart, ein Hugenotte aus Berlin, von 1691 an die strenge, würdevolle architektonische Einheit gab. 1753 brannte das Alte Schloß. Daß Markgraf Friedrich den Brand selbst gelegt haben soll, wie seine zur Kasse gebetenen Untertanen munkelten, gehört aber wohl ins Reich der Legende. Wahr ist allerdings, daß er ziemlich schnell mit dem Bau des Neuen Schlosses am Hofgarten begann; die alten Gemäuer waren ihm und Wilhelmine offenbar schon längst nicht mehr repräsentativ genug. Der Schriftsteller Ernst Penzoldt (1892–1955), der heute fast vergessen

Bildnis Voltaires. Unbekannter Maler

ist, hat sich in den fünfziger Jahren des vergangenen Jahrhunderts noch einmal mit Emphase in die Zeit vor dem Schloßbrand zurückversetzt, als er schrieb: »Aus den Zimmern dieses Schlosses hatte 1743 Voltaire seine geistreich schmeichelnden Briefe an dessen damalige Herrin geschrieben, die berühmte, nicht minder geistreiche Markgräfin Wilhelmine von Bayreuth, Friedrichs des Großen Schwester, die hier ... früh verwelkte, während ihr Bruder gerade den blutigen Lorbeer des Siebenjährigen Kriegs um seine Schläfen wand. Vielleicht hatte sie selbst aus denselben langen Fensterreihen über den schönen antikischen Porträtmedaillons ... in den großen Ehrenhof der weiträumigen Schloßanlage hinuntergesehen, die hier im offenen Rechteck tief von der Maxstraße zurückspringt: in seiner zuchtvoll gemessenen und etwas nüchternen Strenge konnte er sie wohl an das väterliche Potsdam erinnern – Hohenzollernbauten und Hohenzollernblut hier wie dort.«

Es wird auch im Theater des Alten Schlosses gewesen sein, wo Voltaire (1694–1778), der französische Philosoph und Historiograph, der 1743 gemeinsam mit dem preußischen König Friedrich II. zu Besuch in Bayreuth weilte, an der Seite von Wilhelmine auf der Bühne stand. Mit Verve wird man da gemeinsam die geschmeidigen Verse von Jean Racines Türken-Drama *Bajazet* deklamiert haben. Und es war gewiß nicht nur Schmeichelei, wenn Voltaire Wilhelmine nach seinem Bayreuther Gastspiel schrieb: »Die Tage zählten zu den schönsten in meinem Leben, Madame, als Sie, großartig wie immer, Roxane auf dem Theater Ihres Palais spielten, während ich die Ehre hatte, die Rolle des Acomat zu ›stammeln‹.« Der Philosoph als Stammler – eine hübsche Facette des Feuerkopfs Voltaire.

Im Alten Schloß, in jenem Flügel, der den inneren Schloßhof vom äußeren trennt, hatte zeitweilig das Café Sammet seinen Sitz, eine der kuriosesten Bayreuther Lokalitäten der Wagner-Zeit und ihres schnell entflammten Wagner-Kults. Christian Sammet, der Wirt, war ein Unikum, dessen Wirtsstube ein wahres Wagner-Kuriositätenkabinett darstellte. Er offerierte Floßhilden-Suppe mit Alberich-Einlagen, Lohengrin-Forellen, Nibelungen-Klöße, Siegmunds Stangenspargel und Sieglinden-Käse, wobei er seinen Gästen höchstpersönlich »seine von der Bayreuther Kultur beleckten, mit Kundry-Balsam bestrichenen Gralsbrötchen« überreichte. Der »verrückte Kerl mit seiner unförmlichen riesigen Busennadel, auf der sich die Miniaturbüsten Richard Wagners, Liszts und des König Ludwig II. befanden«, traktierte seine Gäste zur Festspielzeit zudem »mit den gräulichen Tönen einer ungeheuern Posaune, die zum allgemeinen Entsetzen auch Motive aus den verschiedenen Werken darstellen sollten«, bis die Gäste die Flucht ergriffen. So jedenfalls berichtet es Albert von Puttkamer, prominenter

Postkartengruß mit *Ring*-Motiven und dem Wagner-Wirt Christian Sammet

Wagnerianer und Mitbegründer des Berliner Wagner-Vereins, in seinen Erinnerungen *50 Jahre Bayreuth*.

Wenn wir vom Ehrenhof des Alten Schlosses auf die Maximilianstraße treten, sehen wir auf der gegenüberliegenden Seite am Eingang der Kanzleistraße links den pompösen Gründerzeitbau der Post liegen. Hier stand einst die alte Restauration Angermann, das berühmteste historische Wagner-Lokal, das jedoch 1892 abgerissen wurde.

❿ Ehemalige Restauration Angermann
Kanzleistraße 3

Die Restauration Angermann war Wagners Stammkneipe. Ein Stück ursprüngliches Bayreuth, in dem der von Götterdämmerungen und Parsifal-Wehen Getriebene wie ein biederer Bürger an blanken Holztischen im Kreis der Kavallerie-Offiziere und Honoratioren sein »Weihenstephan« trank. »Zu Angermann« zieht sich denn auch wie eine Litanei durch Cosimas Tagebücher, oft genug in sorgenvoll bekümmertem Ton. »R. hatte eine schlechte Nacht«, heißt es da. »Diätfehler.« Richard freilich verlor selbst nach der schlimmsten Nacht nicht seinen kalauernden Witz: »Denn

Richard Wagner (2. von re.) in der Gaststätte Angermann

**Engelbert Humperdinck mit
seiner Frau in Bayreuth**

Tannen ins Pflaster rammte: »Da verschmähten auch nach der neuesten Mode gekleidete elegante Damen nicht, auf Holzbänken sitzend an bayrischem Bier zu nippen und Bratwürstchen mit Kraut zu frühstücken«, notierte Zeitzeuge Albert von Puttkamer. Im Hintergebäude von Angermann befand sich einst auch die sogenannte Parsifal-Kanzlei mit Engelbert Humperdinck (1854–1921) als jungem Musikus und Kanzlisten, der im Januar 1881 nach Bayreuth kam, um die Partiturreinschrift des *Parsifal* zu erstellen. Die Kneipe als Kopistenbüro: Humperdinck, dem später der Opern-Welterfolg von *Hänsel und Gretel* gelang, hat seine Bayreuther Jahre als Assistent der Festspiele tempera-

**Gaststätte Angermann,
Bayreuths erste Künstler-Kneipe**

jede Schuld rächt sich auf Erden, und trinkst du Bier, so fühlest du Beschwerden.« Ging Cosima einmal mit zu Angermann, begrüßte man sie dort ehrfürchtig als »Frau Meister«. Dem Knaben »Fidi« hatte man nach Herrenrundenart im Angermann sogar schon in jungen Jahren ein Stammglas mit der Gravur »Herr Siegfried Wagner« reserviert. Mit weniger Devotion ging es während der Festspiele nach Wagners Tod bei den Zusammenkünften der Wagner-Künstler und -Enthusiasten zu. Bei schönem Wetter wurde der obligatorische Frühschoppen gar mitten vors Lokal verlegt, wo man mentvoll in seinen *Parsifal-Skizzen* festgehalten, auch jene Szene bei den Vorgesprächen zum *Parsifal*, als Maschinendirektor Brandt für die Verwandlungen im ersten Akt mehr Musik reklamierte und Wagner aufgebracht rief: »Wenden Sie sich an Humperdinck, der komponiert wie der Teufel! Wir komponieren nicht schock- und ellenweise!« Humperdinck schrieb tatsächlich behende die fehlenden Übergangstakte hinzu, denen Wagner sein Plazet gab mit einem saloppen »Na, warum nicht?«.

Wir kommen jetzt auf die Maximilianstraße, Bayreuths berühmten alten Straßenmarkt, der durch die Bombardements des Zweiten Weltkriegs und die Neubausünden der Nachkriegszeit allerdings viel von seinem historischen Flair verloren hat. Dennoch gibt es hier Sehenswertes, vor allem die Mohren-Apo-

Jean Paul mit 41 Jahren

theke und das nach den beiden verheerenden Stadtbränden von 1605 und 1621 neuerstandene Alte Rathaus – mit ihren malerischen Erkern herausragende Zeugnisse einer großzügigen Straßen- und Marktarchitektur. Auch Jean Paul hat, als er Bayreuth zur Wahlheimat erkor, zuerst in der Maximilianstraße gewohnt, in einem stattlichen Palais schräg gegenüber vom Alten Schloß.

❶ Jean Pauls erste Wohnung Maximilianstraße 9

Am 12. August 1804, so wird berichtet, hielt vor dem Haus Maximilianstraße 9 eine Kutsche, der Jean Paul, seine Ehefrau Karoline, die Kinder Emma und Max sowie der Spitz entstiegen. Nach der ersten Nacht in Bayreuth war der Dichter die Zufriedenheit selbst. »An Sie die erste Zeile in Bayreuth. Guten Morgen! Ich hatte einen noch besseren, denn erst heute seh ich, wie herrlich mein Logis ist«, schrieb er seinem Freund Emanuel Osmund als Morgengruß. Die beschauliche fränkische Residenzstadt schien ihm mit ihren drei Bs, dem berühmten Bier, den Büchern und Bergen, der rechte Ort für eine glückliche Fortsetzung seiner ruhmvollen Karriere zu sein. Weder Meiningen noch Coburg, erst recht nicht Weimar oder Berlin hatten ihn auf lange Sicht fesseln können. Daß seine Begeisterung nicht anhielt (»Die Peitsche wird mir immer länger, die mich aus Bayreuth forttreibt«), er dennoch bis zu seinem Tod dort ausharrte, steht auf einem anderen Blatt.

In der Maximilianstraße ließ sich der

notorische Umzügler Jean Paul später noch einmal nieder, von 1811 bis 1813, direkt neben dem Alten Schloß im Haus Nr. 16, das zu jener Zeit die Schloßapotheke beherbergte. Dort lebte er in der »Groschengalerie«, wie er den Mansardentrakt nannte, in giftigem Streit mit dem Hausherrn, dem Apotheker Braun, dem »rachsüchtigen Schurken«, den er für fehlende Weinflaschen in seinem Keller verantwortlich machte. Von hier zog Jean Paul in die Friedrichstraße, nicht ohne dem Stand der Apotheker in seinem Roman-Torso *Der Komet* mit dem närrischen Nikolaus Marggraf ein boshaft satirisches Denkmal gesetzt zu haben.

Wir gehen die Maximilianstraße weiter hinunter und kommen zum Stirner-Haus.

⓬ Stirner-Haus
Maximilianstraße 31
Der Philosoph und Links-Hegelianer Max Stirner (1806–1856) zählt noch immer zu Bayreuths unterschätzten Geistesgrößen. Stirner, der 1806 im Vorgängerbau des heutigen Hauses Maxstraße 31 als Sohn eines Flötenmachers geboren wurde, sorgte 1845 mit seiner Schrift *Der Einzige und sein Eigentum*, die bald nach Erscheinen in Leipzig von den Behörden wegen ihrer radikal-anarchischen Tendenzen beschlagnahmt wurde, für Aufsehen. Stirner redet darin einem extremen Egoismus das Wort, der jeglicher Autorität, sei es Staat, Kirche oder Gott, eine Absage erteilt. Er nahm damit nicht nur Einfluß auf die französi-

Max Stirner. Scherenschnitt

schen Dandys à la Baudelaire und Huysmans sowie französische Anarchisten à la Proudhon, sondern später auch auf die Pariser Existentialisten, auf Sartre und Camus. Selbst Ernst Jüngers Theorie des »Waldgängers« beruft sich auf ihn. Stirner: »Meine Sache ist weder das Göttliche noch das Menschliche, ist nicht das Wahre, Gute, rechte Freie u. s. w., sondern allein das Meinige … Mir geht nichts über Mich!« Marx und Engels haben sich seinerzeit über dieses Mich-Pathos kräftig lustig gemacht und haben dem »Sankt Max« in ihrer *Deutschen Ideologie* ein langes und hohnvolles Kapitel gewidmet. Ludwig Feuerbach hielt dagegen, Stirners Schrift sei ein höchst geistreiches und geniales Werk »und hat so die Wahrheit des Egoismus – aber excentrisch, einsichtig, unwahr

Durchblick zur Stadtkirche zwischen Stirner-Haus und Altem Rathaus

fixiert – für sich. Er ist gleichwohl der genialste Schriftsteller, den ich kennengelernt.«

Stirners Leben verlief bizarr. Der als Kaspar Schmidt Geborene ging nach seinem Abitur am Bayreuther Gymnasium nach Berlin, wurde Lehrer an einem Mädchenpensionat, heiratete reich, experimentierte als Geschäftsmann in der Milchwirtschaft, scheiterte dabei kläglich, landete zweimal im Schuldgefängnis und starb – 1856 in Berlin – schließlich an einem Insektenstich.

Das Stirner-Haus und das Alte Rathaus sind nur durch die Brautgasse voneinander getrennt, die mitten hinein in das alte Gassengewirr von Bayreuth führt. Beeindruckend ist von hier aus bereits der

Blick auf die Zwillingstürme der Stadtkirche, die wir aber erst später besuchen wollen (vgl. S. 101).

⓭ Altes Rathaus
Maximilianstraße 33

Das Alte Rathaus war mit seinen beiden ausladenden Erkern und dem eindrücklichen Hauptportal mit dem Stadtwappen einst der beherrschende Bau der alten »Hauptgasse«. Das Haus hatte ursprünglich als Stadtpalais gedient und gehörte seit 1685 zum Besitz des Freiherrn und Geheimen Hofrat Obristen Sigismund von Hohenfeld. Dessen Tochter verkaufte es 1721 an die Stadt, die das Haus nach etlichen Umbauten als ihren neuen

Amtssitz einrichtete. Früher hing aus dem Erker des Rathauses an den Markttagen die Marktfahne heraus: ein Blechschild mit Stadtwappen, das an einer Stange herausgelassen wurde, wenn die Marktzeit begann, und hereingezogen wurde, wenn sie vorbei war. Strenge Sitten, die polizeilich penibel überwacht wurden. Ansonsten aber ging's auf Bayreuths Straßenmarkt leger zu. Auf einem frühen Foto sieht man eine schnatternde Gänseschar über das Kopfsteinpflaster des Marktes patschen. Herkules, der Held auf einem der drei barocken Marktbrunnen, schwingt dazu die Keule über ihren Köpfen. »Welt-Panorama« steht auf einem Schild zur Rechten. Der Fotograf hatte Witz.

Im Alten Rathaus fand am 23. Mai 1872, also am Tag nach dem Festakt zur Grundsteinlegung des Bayreuther Festspielhauses, die entscheidende Versammlung der Patrone und Delegierten der Wagner-Vereine statt. Lange war ja nicht klar gewesen, ob man das Festspielhaus überhaupt finanzieren könne. An jenem Tag aber beschloß man, »den Bau des Theaters mit aller Energie in Angriff zu nehmen und durchzuführen«. Wagner fiel ein Stein vom Herzen.

Auf der Maximilianstraße, schräg gegenüber vom Alten Rathaus und dem Stirner-Haus, steht der Fama-Brunnen.

⓮ Fama-Brunnen

An dieser Stelle stoßen wir auf die Spuren Adolph Menzels (1815–1905), der zu Wagners Lebzeiten zweimal in Bayreuth zu Gast war und den »Mei-

Der Marktplatz mit dem Herkulesbrunnen, um 1900

Fama-Brunnen auf dem Marktplatz.
Skizze von Adolph Menzel

ster« bei den ersten Festspielproben
1875 auf der Bühne des Festspielhauses in überaus charakteristischen
Zeichnungen einfing. Im August 1876
logierte er in der Maximilianstaße 25,
wie es die offizielle Fremdenliste belegt. Und so hat er sich denn auch vom
Zauber des alten Markts mit seinen
historischen Häusern und Brunnen
zu originellen Zeichnungen inspirie-
ren lassen. Zwei seiner Maxstraßen-
Skizzen zeigen den berühmten Fama-
Brunnen, der aus dem Dreierbund der
markgräflichen Marktbrunnen – zur
Spitalkirche hin folgen der Herkules-

und der Neptunbrunnen – künstlerisch deutlich herausragt. Fama, hier
als schön gelockter und geflügelter
Jüngling mit dem Stadtwappen in der
Hand, verkündet auf seiner mit einem
Wimpel behängten Tuba den Ruhm
Bayreuths. Die Brunnenfigur gehört
zu den glänzendsten Werken des Bayreuther Hofbildhauers Elias Räntz
(1649–1732), der auch den Markgrafenbrunnen vor dem Neuen Schloß
schuf.
Menzel, der große Realist, hat mit
ungewöhnlichem Blick ebenfalls das
Haus an der Maxstraße 38 auf Papier
gebannt, einen mit seinem Doppel-
walmdach eindrucksvollen Rokoko-
Bau, in dem heute die Schmidt Bank
sitzt. Die Skizzen wurden erst in den
siebziger Jahren des 20. Jahrhunderts
von Wilhelm Müller als Bayreuth-Mo-
tive identifiziert.
*Wir gehen weiter zu einem der schönsten
Häuser der Maximilianstraße, der Mohren-Apotheke, die ebenfalls auf der
Rathausseite liegt, und gehen dann bis
zur Spitalkirche, die den Markt auf ein-
drucksvollste Weise abschließt.*

⓯ Mohren-Apotheke
Maximilianstraße 57

Die Mohren-Apotheke ist die älteste
erhaltene Apotheke der Stadt. Der von
Michael Mebart 1610 errichtete Bau
fällt allein schon durch seinen prächtigen Eckerker auf, der der Maximilianstraße an dieser Stelle einen starken
Akzent gibt, aber auch den Eingang
zur heutigen Sophienstraße markiert.
»Wo der Herr nicht das Haus bauet, so
arbeiten umsonst, die daran bauen«,

mahnt eine Inschrift an dem Renaissance-Erker noch heute alle Bauwütigen.

⑯ Spitalkirche

Der Entwurf der Spitalkirche zeigt die souveräne Handschrift von Joseph Saint-Pierre, Wilhelmines Hofbaumeister, von dem auch die Fassade des Markgräflichen Opernhauses stammt. Hier wirkt die Front allerdings um vieles leichter und heiterer, allein schon durch ihren Giebelschmuck mit dem goldblinkenden Auge Gottes, das Putten und Wolken wunderbar überstrahlt. Das Innere ist ein heller protestantischer Predigtsaal mit einem für die Markgrafenkirchen in Franken typischen Kanzelaltar, den amüsante Puttenköpfe und die Apostel Petrus und Paulus als Säulenheilige zieren. Der Künstler: Markgraf Friedrichs Hofbildhauer Johann Gabriel Räntz (1697–1776), der auch das Dekor der Fassade schuf. Durch mehrere Zugänge konnte man aus der Kirche direkt ins anliegende Bayreuther Bürgerspital (Maximilianstraße 64) gelangen, in dem nach den beiden Stadtbränden von 1605 und 1621 die Bayreuther Ratsherren tagten. Durch einen Torbogen kommt man in den alten Spitalhof. Von dort geht es dann über eine Schwingbrücke aus dem stillen Mittelalter direkt ins hektische Konsumgetriebe des Rotmain-Centers.

Unser Weg führt uns auf der Maximilianstraße zurück bis zur Sophienstraße, auf der wir auf der linken Seite in die Kämmereigasse abbiegen. An der Ecke zur Kirchgasse links liegt im heute blankgeputzten Idyll der winkligen Gassen und Gemäuer der Gasthof Eule, ein Wagner-Ort mit bemerkenswerter Tradition, der sich vorzüglich für eine kleine Zäsur in unserem Spaziergang eignet.

⑰ Gasthof Eule
Kirchgasse 8

Rauschebärte, Pappschwerter und Lockengewall. Sinniges, Launiges und Pathetisches an den mit Porträts und Sprüchen vollgepflasterten Wänden der Eule, einem der beliebtesten alten Bayreuther Festspiellokale. »Eile ohn' Weile zur Eule und weile!« steht auf einem der Fotos, das in der historischen Wagner-Heldengalerie bei den Besuchern stets auf glückliche Resonanz stößt. Der Komponist selbst hielt nichts von langem Verweilen bei seinem ersten Eulen-Besuch an der Seite

Das Restaurant Eule

seines Buchbindermeisters Christian Senfft. Als Wagner ihn in seiner Arbeitskluft in die Eule gezogen habe, so Senfft, habe jeder ein Glas Bier getrunken, für einen Kreuzer Brot gespeist, dann habe Wagner die Zeche bezahlt. Punktum. Siegfried Wagner hatte offenbar mehr Sitzvermögen, schließlich war ihm aber auch eine Ecke in den gemütlichen Gasträumen reserviert. Als Zeugen seiner nachhaltigen Präsenz gelten noch heute Franz Stassens Gemälde im Eingang der Eule mit Szenen aus Siegfrieds Opern *Der Bärenhäuter* und *Schwarzschwanenreich*.

In den »Seelentransformator« der Eule, wie es ein Musiker des Festspielorchesters einmal nannte, kehrte auch die Sängerprominenz der dreißiger Jahre ein, Max Lorenz, Rudolf Bokkelmann und Jaro Prohaska. Später pflichtgetreu auch Neu-Bayreuth mit seinen Sänger- und Dirigentenkoryphäen: Martha Mödl, Birgit Nilsson, Anja Silja, Joseph Keilberth und Her-

Siegfried Wagner (re.) in der Eule

bert von Karajan sowie der alte »Kna«, der knarzige Hans Knappertsbusch.

Apropos »Kna«. Der fand in Neu-Bayreuth keineswegs alles lustig, was Wieland und Wolfgang da machten, war vielmehr hörbar empört. »Wenn man die Enkel kennt, weiß man, was für ein Arschloch der Großvater war«, soll er einmal quer durch die Hotelhalle vom Bayerischen Hof gebrüllt haben. Schön auch im reichen Anekdotenschatz von »Kna« die Story mit der Taube, auf die Wieland in seinem entmaterialisierten Nachkriegs-*Parsifal* ganz verzichten wollte. »Kna« aber, traditionsbewußt, bestand darauf. Da verfielen die beiden Brüder Wieland und Wolfgang auf den Trick, die Taube nur so weit auf die Bühne herabzulassen, daß Knappertsbusch sie vom tief gelegenen Pult aus noch gera-

Die Wagner-Enkel Wolfgang (li.) und
Wieland mit Hans Knappertsbusch, 1949

de sehen konnte. Für die Zuschauer blieb der Vogel unsichtbar. »Die Taube schwebte – der Glaube lebte«, so Wolfgangs süffisanter Wagner-Kommentar.

Vom Gasthof Eule führt uns die Kirchgasse direkt auf den Kirchplatz, an dem zur Linken das Historische Museum der Stadt liegt.

⓲ Historisches Museum
Ehemalige alte Lateinschule
Kirchplatz 6

Einst stand hier die alte Lateinschule. Die großen Stadtbrände von 1605 und 1621 aber vernichteten diese wie auch den Nachfolgebau. Dann kam Markgraf Christian Ernst und richtete an dieser Stelle mit dem Collegium Christian-Ernestinum das erste Bayreuther Gymnasium ein, das auch als Gründungsstätte der ersten Bayreuther Universität gilt und später – über ein Jahrhundert lang – als Zentrale Feuerwache diente. So weit der eine Teil der Geschichte. Der andere sind die bedeutenden Zeugnisse und Dokumente aus der Geschichte der Stadt, die hier seit 1996 im Historischen Museum versammelt sind und einen aufschlußreichen Einblick in die politischen, sozialen, kulturellen und baulichen Veränderungen Bayreuths geben. Um nur einige Schätze zu nennen: zwei Engelsfiguren von der alten Orgel der Stadtkirche, eine Stadtkasse aus dem 16. Jahrhundert sowie Per Kraffts Porträts von Markgraf Friedrichs Minister Philipp Andreas Ellrodt und dessen Frau, denen wir auf unserem Rundgang noch begegnen werden

(vgl. S. 108). Die kostbare Sammlung Bayreuther Fayencen spricht ohnehin für sich. Und eine Altlast aus dem Dritten Reich auch: das Originalmodell des von Hitler geplanten Bayreuther Gauforums.

⓳ Stadtkirche

Die Stadtkirche Heilig Dreifaltigkeit war und ist das geistliche Zentrum des protestantischen Bayreuth. Ein wuchtiger gotischer Bau, der mit dem Zwillingspaar seiner von barocken Schieferhauben bekrönten und durch eine Brücke verbundenen Sandsteintürme noch heute als weithin sichtbares Wahrzeichen der Stadt gilt. Auch für Richard und Cosima Wagner wurde die Stadtkirche bedeutungsvoll. Hier ließ sich die Katholikin Cosima nach eingehender Besprechung mit ihrem Vater Franz Liszt am 31. Oktober 1872 von Dekan Dittmar evangelisch einsegnen. Ein »erschütternder Akt«, wie sie in ihren Tagebüchern preisgab, »meine ganze Seele bebt ... Als wir uns umarmten, R. und ich, war es mir, als ob jetzt erst unser Bund geschlossen wäre ... Es ist mir fast bedeutender wohl gewesen, mit R. zum h. Abendmahl zu gehen als zum Trauungsaltar.« In der Stadtkirche fanden im August 1930 auch die Trauerfeierlichkeiten für Siegfried Wagner statt. Im Innern des Gotteshauses stellt das Küffnersche Epitaph, ein Altar, der nach den Stiftern, dem einstigen Bürgermeister Conrad Küffner und seiner Frau Barbara, benannt ist, eine besondere Kostbarkeit dar. Denn auf seiner Predella befindet sich die älteste überlieferte Stadtansicht Bayreuths aus dem Jahr 1625.

Bevor wir von der Kanzleistraße links in die Friedrichstraße einschwenken, machen wir einen Abstecher über die Steingraeberpassage in die Dammallee – für jeden Wagner-Fan ein Muß.

⑳ Wagners erstes Bayreuther Domizil Dammallee 7

Das heute abgerissene Haus, in dem Richard Wagner mit seiner Familie von 1872 bis 1874 wohnte, war zwar mit dem Repräsentationsanspruch von Wahnfried, Wagners späterem Domizil, nicht zu vergleichen. Aber für den Erfolg der Bayreuther Festspiele und den Sieg der *Ring*-Idee von nicht geringer Bedeutung. Hier vollendete Wagner die Niederschrift des ersten Akts der *Götterdämmerung*. Hier wurde um die künftigen Besucher der Festspiele gerungen, die unerläßlichen Patrone, die mit ihren Patronatsscheinen die ersten *Ring*-Zyklen auf dem Grünen Hügel finanzieren sollten. Von hier aus »dirigierte« Wagner den Bau von Wahnfried mit derselben rastlosen Entschlossenheit wie die Errichtung des Festspielhauses. Dammallee Nr. 7 war also so etwas wie eine frühe Kommandozentrale, in der auch alle der »großen Unternehmung« wohlgesonnenen Freunde bei ihren Besuchen in Bayreuth empfangen wurden: Marie von Schleinitz, die getreue, einflußreiche Berliner Freundin, Frau des preußischen Ministers Alexander Graf von Schleinitz, der Bayreuther Bankier Friedrich Feustel, Franz Liszt und viele andere.

In die Dammallee 7, wo heute in ei-

Wagners erstes Bayreuther Domizil in der Dammallee 7

Friedrich Nietzsche, 1873

nem Neubau die Landwirtschaftliche Berufsgenossenschaft residiert, kam auch der mit Cosima und Richard seit 1869 verbundene junge Friedrich Nietzsche, dessen leidenschaftliche Wagner-Verehrung (»Mir behagt an Wagner, was mir an Schopenhauer behagt, die ethische Luft, der faustische Duft, Kreuz, Tod und Gruft etc.«) jedoch in der Folge in Irritation, ja in »Ekel« und Haß umschlug. Ein Kapitel deutscher Geistesgeschichte, wie es sich in derart abgründiger Freund-Feind-Polarisierung nicht wiederholen sollte. Nietzsches von der emphatischen Huldigung bis zur Schmähung reichenden drei Wagner-Schriften (*Richard Wagner in Bayreuth*, *Der Fall Wagner* und *Nietzsche contra Wagner*) waren dabei die eine Seite der Medaille, wenn auch die spektakulärste, mit

der die Wagner-Rezeption noch heute zu kämpfen hat. Die andere war die persönliche Tragik wohl vor allem für Nietzsche, für dessen sonderbare, letztlich dilettantische Kompositionen Richard und Cosima im übrigen nur Spott übrig hatten.

Warum es tatsächlich zum Bruch zwischen Nietzsche und Wagner kam? Wagner hatte dem Jüngeren nach der Grundsteinlegung im Mai 1872 doch noch jubelnd zugerufen: »Im Grunde genommen sind Sie, nach meiner Frau, der einzige Gewinn, den mir das Leben zugeführt.« Über die Ursachen des Zerwürfnisses und deren fatale Gemengelage ist ausgiebig geschrieben und spekuliert worden in der Wagner- und Nietzsche-Literatur. Wagners *Parsifal*-Dichtung, als Privatdruck an Nietzsche gesandt, und Nietzsches Aphorismen-Sammlung *Menschliches, Allzumenschliches*, Teil I, die vier Monate später, am 25. April 1878, in Wahnfried eintraf, markieren in jedem Fall die entscheidende Zuspitzung des Konflikts. Für Nietzsche war es unerträglich, wie sich Wagner mit dem *Parsifal* zum Christentum, zu »Weihrauch-Wolken und Kirchenduft« zurückwandte. Ja, er empfand es geradezu als »einen persönlichen Schimpf«. Mit Galle reagierte wiederum Wagner in seinem Aufsatz *Publikum und Popularität* auf Nietzsches vernichtendes, ohne Zweifel auf ihn gemünztes Urteil, er sei einer der Protagonisten der zum Untergang bestimmten Kultur. Das Kunstwerk der Zukunft – diffamiert! Wie immer man die Gründe des endgültigen Bruchs aber auch im einzelnen bewerten mag: Nietzsche blieb auf

Wagner fixiert. »Wir waren Freunde und sind uns fremd geworden ... Dass wir uns fremd werden müssen, ist das Gesetz *über* uns ... Es giebt wahrscheinlich eine ungeheure unsichtbare Kurve und Sternenbahn, in der unsere so verschiedenen Straßen und Ziele als kleine Wegstrecken *einbegriffen* sein mögen – erheben wir uns zu diesem Gedanken! ... Und so wollen wir an unsere Sternen-Freundschaft *glauben,* selbst wenn wir einander Erden-Feinde sein müssten«, heißt es beschwörend in der *Fröhlichen Wissenschaft.*

Im Haus an der Dammallee traf am 25. Januar 1874, als das Festspielprojekt wieder einmal kurz vor dem Kippen stand, auch die Nachricht von der »Rettungsaktion« Ludwig II. ein: »Nein! Nein! Und wieder nein! so soll es nicht enden; Es muß da geholfen werden! Es darf unser Plan nicht scheitern!« hatte der König seinen Kredit von 100 000 Talern annonciert. Damit war die finanzielle Basis für die Festspiele erst einmal gesichert. Wie hart es werden würde, später für das Defizit der ersten Festspiele 1876 persönlich aufkommen zu müssen, wußte Wagner damals noch nicht.

Malwida von Meysenbug, um 1870

❷❶ Wohnung von Malwida von Meysenbug Dammallee 8

Nicht weit von Wagners Domizil entfernt, auf der gegenüberliegenden Seite der Dammallee, hatte sich die Schriftstellerin Malwida von Meysenbug einquartiert. Sie war Wagner schon 1855 in London begegnet, dann bei den *Tannhäuser*-Proben in Paris, ehe sie in Luzern Trauzeugin bei Richards Hochzeit mit Cosima von Bülow wurde. Sie galt als eine engagierte Kämpferin für die Frauenrechte, war als »vollständige Revolutionärin«, wie sie sich selbst nannte, auch in die Umtriebe der Revolution von 1848 verwickelt gewesen, die sie ins Exil nach London trieb. Dort lebte sie als Gouvernante im Hause Alexander Herzens, dem sie mit ihrem Porträt *Ein russischer Patriot* huldigte und dessen Tochter Olga sie adoptierte. Nietzsche traf die gesellige Malwida von Meysenbug erstmals 1872 bei der Grundsteinlegung zum Bayreuther Festspielhaus, sie nahm ihn sofort in ihren Freundeskreis auf.

Im Festspielsommer 1876 fand der bereits kranke Philosoph in Malwidas Haus an der Dammallee liebevolle Aufnahme. Menschliches, Allzumenschliches notierend, schrieb er: »Seit drei Tagen habe ich an meinem Befinden nichts mehr auszusetzen: dafür lebe ich auch bei Frl. v. Meysenbug, bin von früh an im Garten, trinke Milch, bade im Fluss und esse, so wie es mir wohlthut.« 1876 erschienen – zuerst anonym – Malwida von Meysenbugs *Memoiren einer Idealistin*, mit denen sich die später auch als Erzählerin erfolgreiche Schriftstellerin als lebenskluge, beherzte und ihren Idealen stets treue Chronistin der politischen und geistigen Auseinandersetzungen ihrer Epoche auswies.

Wir gehen wieder über die Steingraeberpassage zurück auf die Friedrichstraße, die Prachtstraße der fürstlichen Residenz, die mit ihren Bürgerhäusern und eleganten Stadtpalais das geschlossenste Bauensemble der alten Markgrafenstadt ist. Auch hier – wie fast überall im markgräflichen Bayreuth – hat man als Baumaterial den hellen heimischen Sandstein gewählt, der beim Wechsel von Licht und Witterung eine ganz eigene Lebendigkeit und Wärme entfaltet. Wir beginnen unseren Gang durch die Friedrichstraße zur Rechten mit der

㉒ Pianoforte-Fabrik Steingraeber Friedrichstraße 2

Wie ein architektonisches Ausrufezeichen wirkt dieses Palais mit seinen ausladenden Seitenflügeln und seinem

Abtransport der Klaviere: Pianofabrik Steingraeber, um 1954

Die Gralsglocken der
Parsifal-**Uraufführung, 1882**

üppigen plastischen Schmuck. Der »Fürstliche Culmbacher Cameriere« Liebhardt ließ sich das Palais 1754/55 errichten. Seit 1871 hat die Bayreuther Pianoforte-Fabrik Steingraeber hier ihren Sitz. Ein Familienunternehmen, das sich zur international renommierten Klavierfabrik entwickelte.

Auch Wagner schätzte die Steingraeber-Klaviere, die er als Probenklaviere für das Festspielhaus orderte. In einem Brief an den Firmenchef rühmt er sogar von Palermo aus die »vorzüglichen« Pianinos. Von Steingraeber bezog er auch den Stimmer für seinen Steinway. »Schicken Sie mir nur um Gottes Willen morgen Vormittag Ihren Klavierstimmer noch einmal zu! Ich will ja gern jeden Preis für das Stimmen zahlen«, flehte er. Dem einfallsreichen Firmenchef Eduard Steingraeber gab er 1881 den Auftrag zum Bau eines »Gralsglockenklavieres« für die Tempelszenen des *Parsifal*. Das Instrument wurde zwar zur Uraufführung nicht fertig, so daß Wagner faß-

ähnliche Tamtams aus London nach Bayreuth bringen lassen mußte. Doch fand die Steingraebersche Erfindung später für lange Jahre Verwendung im Festspielhaus.

Heute kann man in dem mit zartem Stuck verzierten Rokokosaal des alten Liebhardtschen Palais auch Konzerte auf jenem Flügel hören, auf dem Franz Liszt einst gespielt hat. Dieser führt denn auch die Referenzliste der Firma an, die so berühmte Namen wie Alfred Cortot, Eugen d'Albert, Wilhelm Kempff, Jorge Bolet, Daniel Barenboim und James Levine aufführt. Im Hof des Steingraeber-Hauses standen einst zum Abtransport die in Holzkisten verpackten Klaviere. Seit 1982 gibt man dort zur Festspielzeit auch respektlose Wagner-Parodien, frechfrivole Gegenschläge zum Wagner-Kult auf dem Grünen Hügel.

❷❸ Jean Pauls
Wohn- und Sterbehaus
Friedrichstraße 5

Markgraf Friedrichs Prachtstraße zog auch Jean Paul an. Nachdem er kurz in der Friedrichstraße Nr. 10 gewohnt hatte – wo heute das Jean-Paul-Café an ihn erinnert –, lebte er von 1813 bis zu seinem Tod 1825 im zweiten Stock des Hauses Nr. 5, das dem jüdischen Bankier Joseph Schwabacher gehörte. Bevor Richard Wagner ihm den alles überstrahlenden Ruhm stahl, galt Jean Paul als bedeutendste Künstlerfigur Bayreuths. Um den berühmten Dichter zu besuchen, machte sich so mancher auf den Weg in die damals völlig verschlafene Provinzstadt, über die

Jean Paul früh in die überschwenglichste Begeisterung ausgebrochen war. Vielzitiert sein Ausruf von 1793: »Du liebes Bayreuth, auf einem so schön gearbeiteten, so grün angestrichenen Präsentierteller von Gegend einem dargeboten – man sollte sich einbohren in dich, um nimmer heraus zu können.« Die Lust am »Einbohren« hielt sich freilich schon bald stark in Grenzen. Ja, der von Ehe und Familie Bedrückte fühlte sich in Bayreuth frustriert, zudem auch von seinen Lesern nicht mehr so enthusiastisch wie einst wahrgenommen. Gleichwohl schuf er hier noch Bedeutendes wie die satirischen Erzählungen von *Dr. Katzenbergers Badereise* und *Des Feldpredigers Schmelzle Reise nach Flätz*, vor allem aber gewichtige politische Schriften wie die *Friedens-Predigt an Deutschland*, in der er an den weltbürgerlichen Sinn der Deutschen appellierte, und die *Dämmerungen für Deutschland*, mit denen er gegen das »Säbel- und Bajonetten-Jahrhundert« anging. Aus der wachsenden Bayreuther Isoliertheit brach er freilich immer wieder aus, um sich anderswo Lorbeerkränze winden zu lassen. Den glänzendsten gewiß in Heidelberg, wo ihm auf Betreiben Hegels 1817 die Ehrendoktorwürde der Universität verliehen wurde.

Im Schwabacher-Haus traf den Dichter 1821 der schwerste Schlag: der Tod seines einzigen Sohns Max, der hier 19jährig einem Nervenfieber erlag. Jean Paul selbst starb am 14. November 1825 mit einem fatalistischen »Wir wollen's gehen lassen« auf den Lippen. Beim Trauerzug von der Friedrichstraße zum Stadtfriedhof, wo wir das Grab Jean Pauls noch besuchen wer-

Jean Pauls Domizil im Schwabacher-Haus in der Friedrichstraße

Jean Paul mit 60 Jahren

㉔ Ellrodtscher Gartenportikus
Friedrichstraße 7

Elegante Altane mit Statuen, die Ko-
pien von der Fassade des Markgräflichen Opernhauses waren, geben dem
1743/44 erbauten »Thorstück« mit
dem ehemaligen Ellrodtschen Wappen
eine besondere Note. Philipp Andreas
von Ellrodt war einer der mächtigsten
Minister des markgräflichen Bayreuth. Er gewann sich Respekt und
Dank des Markgrafenpaars auch da-
durch, daß er zur dringend notwen-
digen Aufbesserung der Finanzen
verdeckte Außenstände eintrieb. Be-
glücktes Aufatmen Wilhelmines: »Statt
arm zu sein, waren wir mit einem Male reich geworden.« Als der Markgraf
den Finanzminister allerdings auch
noch zu seinem geheimen Berichter-
statter erkor, brachten Verleumdun-
gen Ellrodt vorübergehend zu Fall.
Doch zog er sich, so Wilhelmine,

**Wilhelmines Minister
Philipp Andreas von Ellrodt**

den (vgl. S. 144), wurden, feierlich auf
einem Kissen drapiert, seine *Vorschule
zur Ästhetik* und die *Unsichtbare Loge*
vor dem Sarg hergetragen. In Frankfurt hielt Ludwig Börne am 2. Dezember die Totenrede auf Jean Paul: »Ein
Stern ist untergegangen, und das Auge
dieses Jahrhunderts wird sich schlie-
ßen, bevor er wieder erscheint ... Er
aber steht geduldig an der Pforte des
20. Jahrhunderts und wartet lächelnd,
bis sein schleichend Volk ihm nach-
komme.« Man möchte es hoffen, auch
wenn inzwischen das 21. Jahrhundert
angebrochen ist: Denn ihn zu lesen, er-
fordert zwar Mühe und Geduld, doch
dem, der es auf sich nimmt, tut sich ein
überwältigendes dichterisches Univer-
sum auf.
*Wir bleiben auf derselben Straßenseite
und sehen den sogenannten Ellrodtschen Gartenportikus vor uns, der zu
den Sehenswürdigkeiten der Friedrichstraße zählt.*

»schneeweiß aus der Sache heraus, während sein Gegner auf die Festung geschickt wurde«.

Auch in die Literatur gingen die Ellrodts ein. Mit Karl Gutzkows (1811–1878) dreibändigem Roman *Fritz Ellrodt* – der Titelheld war der Sohn des Ministers – wurden sogar Cosima und Richard Wagner nachdrücklich konfrontiert. Freund Feustel hatte ihnen das Werk – nicht ohne lokalpatriotischen Hintersinn – als Lesestoff gesandt. Wußte Feustel, daß Wagner Gutzkow aus alten Dresdner Tagen kannte und dieser ihm als Dramaturg des Schauspiels hinter den Kulissen reichlich Ärger gemacht hatte? Pikant war auch, daß Gutzkow, der unter den Jung-Deutschen führende Publizist und Schriftsteller, nach einem Nervenzusammenbruch 1864 in der Nervenheilanstalt St. Gilgenberg in Donndorf gelandet war. Und die lag damals in unmittelbarer Nähe von Schloß und Hotel Fantaisie, wo Wagner seine ersten Bayreuther Monate verbrachte. So hatte der Anstaltsarzt Dr. Falko Wagner bei seinen Besuchen immer wieder auf die »Glorie der Irrenanstalt, den Herrn Gutzkow«, aufmerksam gemacht, wie Cosima notierte. Gutzkows *Fritz Ellrodt* ist freilich nichts weiter als ein historischer Schmöker ohne großen literarischen Wert, der die Verhältnisse am Bayreuther Hof nach Markgraf Friedrichs Tod wortreich spiegelt.

Wir wechseln wieder die Straßenseite und gehen am Jean-Paul-Café vorbei. Hier öffnet sich die Friedrichstraße zum Jean-Paul-Platz, an dem zur Rechten das ehemalige Waisenhaus liegt.

Zeppelin-Flug über dem Jean-Paul-Platz, Pfingsten 1909

㉕ Jean-Paul-Denkmal
Jean-Paul-Platz

Das Jean-Paul-Denkmal steht seit 1991 wieder allseits sichtbar auf der Mitte des Platzes, nachdem die Nationalsozialisten es in die Ecke vor der Alten Postei verbannt hatten, um den Jean-Paul-Platz besser für ihre Aufmärsche nutzen zu können. Der Münchner Bildhauer Ludwig Schwanthaler schuf das auf hohem Granitsockel postierte Bronzestandbild des Dichters 1841 im Auftrag König Ludwig I. von Bayern. Im schwingenden Mantel steht Jean Paul da, in den Händen, seiner Profession gemäß, Schreibwerkzeug und Buch. Lebhaft sinnend blickt er in die von ihm so geliebte Landschaft um Bayreuth. Über diesen Platz ist er von der Friedrichstraße aus bei gutem Wetter durch den Hofgarten zur Rollwenzelei (vgl. S. 135) aufgebrochen, »den ledernen Sack mit allem Bedarf um die Schultern gehängt, eine Rose als Repräsentantin der Blumenwelt an der Brust, den unbedingt ergebenen Freund, den treuen Pudel als Begleiter an der Seite«. So erinnerte sich ein Zeitgenosse.

Rechts am Ende des Jean-Paul-Platzes liegt die ehemalige Reithalle.

㉖ Ehemalige Reithalle
Heute Stadthalle
Ludwigstraße 31

Die Geschichte der heutigen Stadthalle war keineswegs immer rühmenswert. Griffen doch die Nationalsozialisten nicht nur ästhetisch, sondern auch ideologisch in die alte markgräfliche Architektur ein. Der um 1748/49 entstandene Bau war ursprünglich markgräfliche Reithalle. Später wurde er zu einem »Komödienhaus« erweitert, in dem Stücke von Molière, Racine und Marivaux gespielt wurden. Noch ein zweites Theater kam hinzu. Prominentester Gast: der kleine Carl Maria von Weber, der hier unter der Direktion seines Vaters Franz Anton von Weber in Kinderrollen aufgetreten sein soll.

Hitlers »Vision« für ein neues Bayreuther Festspielhaus

Im Dritten Reich ließen die Nazis die Halle von dem regimetreuen Bayreuther Architekten Hans Reissinger für ihre Zwecke so rigoros umgestalten, daß der Festsaal allein 3000 Besucher aufnehmen konnte. Zur Einweihung 1936 erfolgte dann die Umbenennung des Baus in Ludwig-Siebert-Halle – nach dem damaligen bayerischen Ministerpräsidenten.
Auf dieser Seite der Stadt sollte auch Hitlers megalomanes Gauforum mit einer bombastischen Paradestraße und einem Aufmarschplatz für allein 65 000 Menschen entstehen. Im Sommer 1939 war auf dem nebenliegenden Geißmarkt bereits eine Bauhütte für das hybride Vorhaben aufgestellt worden. Auch für Wagners Festspielhaus auf dem Grünen Hügel hatte der »Führer« eine spezielle »Vision«: Ein Marmortempel im Stile der Akropolis sollte das Festspielhaus rahmen und so in sich aufnehmen, daß es dem Blick fast entschwand. Eine Farce? Hitler, ungerührt: »Bayreuth und Weimar, das wird eine schöne Sache.« Der Kriegsbeginn verhinderte, daß alles Wirklichkeit wurde.
Wie ein Großteil der Stadt fiel auch die Ludwig-Siebert-Halle dem Bombenhagel der Alliierten zum Opfer. Aus den Ruinen entstand 1965 die Bayreuther Stadthalle im gesichtslosen Einheitsstil der Nachkriegsmoderne. Zur Ludwigstraße hin ist aus der Markgrafenzeit nur noch das große, mit Wappen geschmückte, leicht vorspringende Rundbogenportal erhalten, dessen Pferdeköpfe an die alte markgräfliche Reithalle erinnern.
Wir biegen nun links in die Ludwigstra-

ße ein, an der das Neue Schloß liegt, der krönende Abschluß unseres Spaziergangs. Dabei kommen wir zur Rechten am sogenannten Storchenhaus vorbei (Ludwigstraße 29), einem der ungewöhnlichsten Bayreuther Gontard-Bauten, für den markgräflichen Maschinenmeister Johann Dietrich Spindler mit Anklängen an den italienischen Manierismus errichtet. Vor dem Neuen Schloß der Markgrafenbrunnen.

➋ Markgrafenbrunnen

Mit diesem Reiterstandbild hat Markgraf Christian Ernst, ein halbes Jahrhundert Landesherr des Markgrafentums Brandenburg-Bayreuth (1661–1712) und kaiserlicher Generalfeldmarschall, seine barocke Selbstglorifizierung als Weltbeherrscher in Szene gesetzt. Immerhin: Er konnte sich rühmen, an der Spitze der fränkischen Kavallerie bei der Befreiung Wiens von den »schröcklichen Türkken« mitgekämpft zu haben. Als Türkenbezwinger, einen Türken unter den Hufen seines Pferds zermalmend, ließ er sich denn auch von seinem Hofbildhauer Elias Räntz in Stein hauen, obwohl seine Courage und seine Kunst der Heerführung als eher lamentabel galten. Gleichwohl: Auf seinem Bayreuther »Hochsitz« triumphiert er über alle Erdteile, die symbolisch am Sockel des Denkmals Revue passieren. Das Ganze wirkt in seinen Proportionen keineswegs immer glücklich austariert, Wucht kämpft vergeblich mit der Würde. Seinen ursprünglichen Platz hatte das Reiterstandbild im Ehrenhof des Alten Schlosses, Markgraf Friedrich ließ es jedoch bereits 1748 auf dem heutigen Platz vor dem Neuen Schloß aufstellen.

㉘ Neues Schloß
Beim Neuen Schloß war wiederum Wilhelmines Architekt Joseph Saint-Pierre federführend. Ein Könner, der auch hier bei der Gestaltung der Fassade mit strenger, zurückhaltender Eleganz vorging. Originalität und Phantasie sollten sich dafür um so bezwingender im Innern entfalten. Und da herrschte denn auch in weiten Teilen Wilhelmines rastlose schöpferische Energie. Am auffälligsten ohne Zweifel in ihren Privaträumen im Obergeschoß des linken Schloßflügels, die ganz und gar ihrem kaprizösen, oft gar bis ins Bizarre gesteigerten Geschmack verhaftet waren.

Markgräfin Wilhelmine. Pastell-Porträt von Jean-Etienne Liotard, 1745

Friedrich d. Große. Porträt v. Anton Graff

Stolz schrieb sie 1753 ihrem Bruder nach Potsdam: »Ich habe mir das Vergnügen gemacht, den Plan meines ›Palastes‹ selbst zu entwerfen, er ist zwar puppenhaft, wird aber sehr bequem werden.« Puppenhaft? Das Attribut dürfte reines Understatement gewesen sein. Friedrich der Große hatte seinen Bayreuther Verwandten nach dem verheerenden Brand des Alten Schlosses nämlich dringend empfohlen, angesichts ihrer angespannten Finanzlage die alte Anlage kostensparend wiederaufzubauen, und seinem Brief vorsorglich genaue Kalkulationen beigefügt. Ein teurer Schloßneubau *mußte* ihn irritieren. Das Puppenhafte bezog sich also eher auf die nach französischer Rokokomode bewußt intim gehaltenen privaten Räume, in denen sich der Dekorations- und Ausdruckswille der Markgräfin aber um so vehementer Bahn brach.

Als sollten gerade hier all ihre Wünsche, ihre geheimen Seelenregungen, auch ihre Macht- und Herrscherphantasien im raffinierten Widerschein von Figuren- und Schnitzwerk, von Stuck- und Spiegelornamenten und tiefsinnigen Symbolen zum Klingen kommen. Vor allem mit dem Spiegelscherbenkabinett und dem Japanischen Zimmer schuf sich die phantastische Realistin Wilhelmine denn auch Raumwelten von beherzter Extravaganz: Bayreuther Rokoko-Inspirationen, die aber auch die Abgründe und schrillen Risse im Wesen dieser so desillusionierend ins Abseits geratenen Preußenprinzessin sichtbar machen.

Doch immerhin gab es für sie ja die Musik als Trost. Ihren Bayreuther Virtuosen und »Comoedianten« hat Wilhelmine denn auch mit ihrer Porträtgalerie im Alten Musikzimmer des Neuen Schlosses rührende Huldigungen dargebracht. Unter ihnen überraschend Voltaire. Viele der Porträts stammen von dem Schweden Alexander Roslin, einige wohl von Wilhelmine. Selbst für die Pastellmalerei hatte sie Talent. »Ich treibe diese Kunst, die sehr schwer ist, seit Jahr und Tag und bereite mir selbst die Farben, was ein großer Vorteil ist«, läßt sie ihren Bruder wissen. Drei ihrer Pastelle mit den bezeichnenden Titeln *Tod der Lukrezia*, *Cimon und Pero* und *Tod der Kleopatra* zeugen jedenfalls von beachtlicher Fertigkeit.

Überraschender jedoch ein Pastellbild, das sie selbst zeigt. Das Werk des Schweizers Jean-Etienne Liotard, eines der begehrten Porträtmaler seiner Zeit: Liotard stellte die Markgräfin mit leicht mokantem Lächeln dar, selbstbewußt und lebensvoll, ganz ohne jene Züge der Bitterkeit, die ihre *Memoiren* grundieren.

Auch im rechten Flügel des Schlosses, dem Markgrafenflügel, trifft man auf Spektakuläres: so auf das Palmenzimmer, das als Bankettsaal diente und einem Palmenhain gleicht, in dem die Bäume mit ihren freischwebenden goldverzierten Kronen unendlich grazil in den von Drachen und Reihern durchflügten blauen Himmel wachsen. Man muß sich diesen Saal von Licht durchflutet vorstellen, um seinen vollen Reiz zu erfassen.

Wir gehen weiter auf der Ludwigstraße – zurück zum Sternplatz.

Das Palmenzimmer im Neuen Schloß

**Sternplatz mit Reiterbrunnen.
Im Hintergrund das Kaufhaus
Simon Pfefferkorn,
das spätere »Braune Haus«**

㉙ Sternplatz

Da dies immer der urbanste und frequentierteste Platz der Stadt war, begann hier auch der braune Spuk. Und es war nur konsequent, daß die Nazis 1930 gerade an diesem Platz, genauer gesagt an der Ecke Opernstraße/Maximilianstraße, ihr großes »Braunes Haus« installierten, das im Krieg zerstört wurde.
Rückschau: 18. März 1923. Der neue *Stürmer*-Herausgeber Julius Streicher ist in der Stadt. Er spricht abends im Sonnensaal. »Juden haben keinen Zutritt!« Seit Tagen hat die Ortsgruppe der NSDAP entsprechende Anzeigen im *Bayreuther Tagblatt* geschaltet. Nach Schleichers antisemitischen Hetztiraden kommt es zwischen Schlä-

gertrupps der SA und empörten Bürgern der Stadt zu Tumulten, die in eine stundenlange Straßenschlacht ausarten. Am Sternplatz zieht berittene Polizei auf ...
In den nächsten Tagen heißt es in der Zeitung, die SA sei von den jüdischen Mitbürgern »provoziert« worden. Fünfeinhalb Monate später, beim sogenannten »Deutschen Tag«, herrscht Ruhe. Adolf Hitler, der an diesem 30. September 1923 in der markgräflichen Reithalle auftritt, wird auf seiner Fahrt durch die Stadt bejubelt. Aber soweit, daß die Bevölkerung an der Strecke Bahnhofstraße, Opernstraße, Sternplatz, Richard-Wagner-Straße unter Strafandrohung von ihren hysterischen Sympathiebekundungen abgehalten werden muß, ist es noch nicht. Dazu kommt es, wie man der *Oberfränkischen Zeitung* entnehmen kann, erst 1936, in jenem Jahr, in dem »die vom Führer auserwählte Stadt« für die Zeit der in Berlin stattfindenden Olympischen Sommerspiele selbstverständlich ihre eigenen Festspiele auf dem Grünen Hügel für mehr als zwei Wochen unterbricht.

**Das Neue Schloß der Eremitage
mit Großem Bassin**

Vierter Spaziergang
In Klingsors Zaubergarten
Von St. Georgen
zur Eremitage

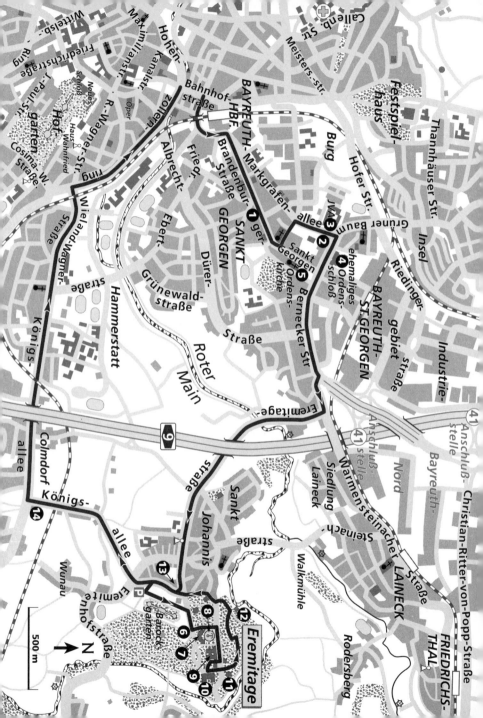

Bei unserem vierten Spaziergang geht es nach St. Georgen und zu den Schlössern der Eremitage – also noch einmal zurück in die Markgrafenzeit. Diesmal sogar bis in die vor-wilhelminische des tollen Markgrafen Georg Wilhelm, der St. Georgen gründete. Auch hier wieder der schöne heimische Sandstein als schimmerndes Erkennungzeichen, das die repräsentativen Bauten wie das Ordensschloß, die Ordens- und Stiftskirche ebenso wie das Prinzessinnen-Palais mit den Bürgerhäusern und -villen zu sichtbarer Harmonie verschmolz.

Für diesen Spaziergang empfiehlt sich allerdings das Auto als »Wegbegleiter«, vor allem auch, weil es für die Strecke St. Georgen–Eremitage keine Busverbindung gibt. Wir steuern St. Georgen von der Bahnhofstraße aus an. Von dort biegen wir in die Tunnelstraße ab, die unter den Bahngleisen hindurch in sanftem Bogen in die alte, von Bäumen beschattete Allee der Brandenburger Straße einschwingt.

❶ Wohnhaus von Johann Georg Pfeiffer
Brandenburger Straße 32

In diesem stattlichen Gebäude wohnte der Besitzer der St. Georgener Fayencemanufaktur, Johann Georg Pfeiffer (1718–1768), ein Mann von hohem unternehmerischen Geschick. Die Manufaktur mit ihren im rückwärtigen Teil des Hauses Brandenburger Straße Nr. 34 gelegenen Produktions- und Verkaufsstätten florierte. Man exportierte nach Schlesien, Sachsen und Böhmen. Bayreuther Fayencen der Markgrafenzeit haben noch heute Sammlerwert. Ein Charakteristikum: die »braune Ware«, Fayencen mit kaffeebrauner Glasur, die mit goldenem oder silbernem Dekor versehen waren. Die Fayenceherstellung hatte in St. Georgen Tradition. Markgraf Georg Wilhelm ließ hier bereits 1716 die erste Fayence-Manufaktur entstehen und holte sich dafür die versiertesten Künstler nach Bayreuth, so auch Samuel Kempe, den einstigen Gehilfen des berühmten Dresdner Porzellanerfinders Johann Friedrich Böttger, dessen geheime Künste man am Bayreuther Hof zu kopieren suchte. »Kempe kam«, so die Bayreuther Kunsthistorikerin Sylvia Habermann, »aus dem Dunstkreis von Bergbau und Alchimie, Gold- und Porzellanmacherei, wo technische Kenntnisse, Scharlatanerie und Betrug nahtlos ineineinander übergingen. Bayreuth war die letzte Station seines rastlosen und abenteuerlichen Lebens.« Doch auch hier wurde ihm der Boden bald zu heiß, zu vieles bei der Produktion mißlang. So suchte Kempe zu flüchten, wurde aber von zwei Husaren aufgegriffen – mit einer Reisetruhe voller Diebesgut. Man setzte ihn eine Woche später auf der Plassenburg in Kulmbach fest.

Prachtvolle Bayreuther Fayencen sind heute im Neuen Schloß und im Historischen Museum in der Innenstadt Bayreuths zu sehen. Die Sammlung Burkhardt im Historischen Museum zeigt dabei die ganze Palette der Bayreuther Produktion vom soliden Alltagsgeschirr bis zu den feinsten Repräsentationsstücken. Fast wie Puppengeschirr wirken die hauchdünnen Kännchen und Tassen, aus denen die

Das Haus Brandenburger Straße 34 wurde in den Zwanziger Jahren
weitgehend abgetragen.

Historische Szene am Saubrunnen in St. Georgen, wo sich
das muntere Marktleben der St. Georgener abspielte

höfische Gesellschaft die damaligen Luxusgetränke Schokolade und Kaffee trank.

In der Villa der Brandenburger Straße Nr. 36 hat das renommierte Kunstauktionshaus Boltz seinen Sitz. Dort kommt alljährlich vom Bauernsilber bis zu Entwürfen berühmter Modemacher, von Teddybären bis zu Nachttöpfen Kunstvolles und Kurioses unter den Hammer.

Wir gehen am alten Saubrunnen vorbei und sehen links das Gravenreuther Stift mit der Stiftskirche. Wie mit dem Lineal gezogen – so liegt St. Georgens Hauptstraße »St. Georgen« vor uns, die Richtung Ordensschloß und Ordenskirche führt. Doch wollen wir vorher noch zwei einst berühmte Gebäude St. Georgens kennenlernen und machen deshalb einen Umweg links über die Kellerstraße in die parallel verlaufende Markgrafenallee, in die wir rechts einbiegen. An deren Ende liegen das einstige Prinzessinnen-Palais, das die Irrenanstalt beherbergte, und das markgräfliche Zuchthaus, Orte, die kein Bayreuth-Reisender des 19. Jahrhunderts ausließ, wenn er die Residenzstadt besuchte.

❷ Prinzessinnen-Palais
Ehemaliges Irrenhaus
Markgrafenallee 44

Das Prinzessinnen-Palais hatte Markgraf Georg Wilhelm 1722 für seine Tochter Christiane Sophie Wilhelmine bauen lassen, die eine Liebesaffäre mit dem österreichischen Kammerjunker Ernst Boguslaw von Wobeser in nachhaltiges Unglück stürzte. 1784 wurde es in eine Irrenanstalt umgewandelt, die wegen ihrer fortschrittlichen Behandlungsmethoden bald Aufsehen erregte. Schon den frühen Bayreuth-Touristen Ludwig Tieck verwunderte, wie wenig »irre« es dort zuging: »Kein Rasender, Toller oder Wahnsinniger selbst war da, sie waren alle bloß verrückt, und zwar so wenig, daß man weit bessere in den glänzenden Cirkeln findet …«, schrieb er 1793.

Im Juni 1834 trieb auch Heinrich Fürst von Pückler-Muskau (1785–1871) die Neugier in die St. Georgener Irrenanstalt. »Am anderen Tage ging ich ins Narrenhaus, wo wir in manchen Augenblicken fast alle hinhören«, begann er seine Schilderung der Insassen. »Den Meisten sah man nichts von ihrem traurigen Zustand an, bis man den kitzlichen Punkt berührte. Einige erschütterten mich tief durch ihre ausdrucksvollen Gestalten, wie ihr edles Benehmen, und doch hält der Arzt gerade diese für unheilbar.« Am meisten fesselte ihn ein alter Herr, der ein berühmter Violinspieler und ehemaliges Mitglied der Hofkapelle und aus Liebe zu einer Prinzessin toll geworden war, die er noch immer zu heiraten hoffte. »Er trug einen langen Zopf, hatte ganz die zierliche Höflichkeit mit dem Anstand eines alten Hofmannes, und spielte, wie Paganini, seit er hier war nur auf einer Saite.«

Daß das Prinzessinnen-Palais später zeitweilig als Zuckerwarenfabrik benutzt wurde, wäre weiter nicht erwähnenswert, hätte der Bayreuther Zuckerfabrikant Oscar Teuscher zu Wagners Zeiten dort nicht prominente Festspielgäste logieren lassen. Vornehmlich blaues Blut. Doch hat 1897 auch ein berühmter französischer

**Prospekt der Zuckerwaren-Biscuit- & Lebkuchen-Fabrik
Oscar Teuscher mit Prinzessinnen-Palais**

Künstler dort genächtigt: Auguste Rodin. Der Bayreuth-Besuch eines anderen großen Franzosen, des Malers Auguste Renoir, ist dagegen nicht verläßlich belegt. Von Renoir jedoch besitzen wir eines der frappierendsten Wagner-Porträts: jenes Altersbild, auf dem der Komponist mit irritierend weichen, impressionistisch zerfließenden Zügen dargestellt ist. Wagner im Zwielicht von Gralsverheißung und Tod. Das Bild enstand erwiesenermaßen 1882 in Palermo, im Hotel des Palmes, wo Wagner gerade seinen *Parsifal* vollendet hatte. Renoir selbst hat uns in einem Freundesbrief ein Protokoll davon geliefert, einen köstlichen Bericht – auch der Unterhaltung wegen, die Wagner halb französisch, halb deutsch führte und mit »Hi!« und »Ah!« und »Ah!« und »Oh« würzte,

denen Gutturales folgte: »Je suis bien gontent. Ah! Oh!« Und weiter auf gut sächsisch: »Addentez encore un beu, ma femme va fenir, et ce bon Lascoux, gomment va-t-il?«

**❸ Ehemaliges Zuchthaus
St. Georgen
Heute Justizvollzugsanstalt
Markgrafenallee 49**
Zur »Säuberung seines Landes von Dieben und Räubern« hatte Markgraf Georg Wilhelm 1724 in unmittelbarer Nähe des Schlosses mit dem Bau eines Zucht- und Arbeitshauses begonnen, das die wachsende Kriminalität eindämmen sollte. Dabei mußten die Häftlinge selbst ihr Gefängnis errichten: einen massiv gesicherten, vierflügeligen Bau mit zwei Meter dicken

Aussenmauern aus Sandsteinquadern. Im Innenhof stand eine »Willkommenssäule«, an der man die »Ehrlichen«, die ihre Taten bereuten, an den Händen hängen ließ. Das galt noch als die harmloseste der drakonischen Begrüßungsrituale. Aber es gab offenbar auch glücklichere Strafmaßnahmen wie die Arbeit in der angeschlossenen Marmorfabrik. Im Dritten Reich war der Theologe Eugen Gerstenmaier, der spätere Bundestagspräsident, politischer Häftling im St. Georgener Zuchthaus, in dem die Nazis bis zum Kriegsende mehr als 5000 Gefangene eingepfercht hatten. Auch der Theologe und Widerstandskämpfer Dietrich Bonhoeffer war in St. Georgen inhaftiert, im früheren Landgerichtsgefängnis, das ebenfalls an der Markgrafenallee lag. Bayreuth war seine letzte Station vor dem Abtransport ins KZ Flossenbürg, wo er am 9. April 1945 ermordet wurde.

Zuchthaus St. Georgen mit der Willkommenssäule

Sein letzter überlieferter Satz: »Das ist das Ende – für mich der Anfang des Lebens.«
Von der Markgrafenallee biegen wir jetzt nach rechts auf die Bernecker Straße ab, an der wir zur Linken das alte Ordensschloß liegen sehen, das heute als Gefängnis fungiert und ebenfalls zur Justizvollzugsanstalt St. Georgen gehört.

Dietrich Bonhoeffer (3. von li.), der vor seinem Abtransport ins KZ in St. Georgen inhaftiert war, hier 1944 im Tegeler Gefängnis mit italienischen Mitgefangenen

❹ Ordensschloß St. Georgen
Bernecker Straße
Ein kleiner Weiher als Weltmeer und
Schlachtenprospekt! Nur eine Fata
Morgana, ein Hirngespinst abgedreh-
ter Historiker? Aber nein: Der junge
Erbprinz und spätere Markgraf Georg
Wilhelm hatte tatsächlich einen Hang
zum Überkandidelten, will sagen, einen echten Marinetick. So ließ er den
alten Brandenburger Weiher, einen
ganz gewöhnlichen Fischteich hinter
seinem neuen, 1702 erbauten Schloß
St. Georgen schiffbar machen, um dort
zu seiner und seines Hofes Kurzweil

Seeschlachten en miniature aufzufüh-
ren. Dazu ließ er 30 Meter lange Boote
zimmern, die hochtrabende mythische
Namen trugen wie Bacchus und Nep-
tunus, und mit aufgezogenen Segeln,
zwölf Kanonen und echten Matrosen
an Bord in den Brandenburger See
stachen. Daß der Exzentriker bei einem dieser Manöver über Bord ging,
als das Flaggschiff kenterte, war die
feuchte Quittung seines Spleens.
Auch seine Nachfolger blieben ver-
liebt in ausschweifende Seespektakel
mit Feuerwerk und blinden Kanona-
den. Geblieben ist davon – bis auf ein

Ein Weiher, der zum Weltmeer wurde: Das Ordensschloß St. Georgen mit dem
Brandenburger See, Kulisse für markgräfliche Seeschlachten en miniature

paar Straßennamen am Schloß (Matrosengasse, Inselstraße) – nichts. Den See hat man 1775 zugeschüttet, heute liegt dort das Bayreuther Industriegebiet. Für eine freundlichere Nutzung des alten Ordensschlosses, das heute als Gefängnis dient, und die Wiedererweckung des Schloßgartens kämpft seit geraumer Zeit eine St. Georgener Bürgerinitiative.

Vom Schloß aus gehen wir die Bernecker Straße hinauf, biegen rechts noch einmal in die Straße St. Georgen, um die Ordenskirche zu betrachten, die neben dem Schloß das bedeutendste Bauwerk St. Georgens ist.

Markgraf Georg Wilhelm hoch zu Roß. Im Hintergrund Bayreuth

❺ Ordenskirche St. Georgen
St. Georgen 50

Mit dem Bau der Ordenskirche wurde bereits 1705 begonnen, aber sie wurde erst 1711 geweiht. Markgraf Georg Wilhelm, damals noch Erbprinz, hatte sie auf Wunsch seiner Mutter, der Markgräfin Sophie Luise, nach den Plänen des aus Berlin nach Bayreuth berufenen Gottfried von Gedeler als wuchtigen Quaderbau errichten lassen: nach außen nicht unbedingt aufsehenerregend, doch im Innern auf beeindruckende Weise mit kostbaren Stukkaturen im Bayreuther Stil, lebhaftem Freskenschmuck des Hofmalers Gabriel Schreyer und Elias Räntz' kraftvollem Kanzelaltar geschmückt. Was das protestantische Gotteshaus aber besonders auszeichnete, war die Flut von über 80 Wappenschildern, die in der Kirche hingen. Ordensschilder der Mitglieder des »Ordre de la Sincérité«, des »Ordens der Aufrich-

tigkeit«, den Markgraf Georg Wilhelm in Anlehnung an den Georgskult der Engländer 1705 gegründet hatte. Laut Statut mußte jeder Ordensritter sein angestammtes Wappen mit Jahreszahl und Namen im Kirchenschiff aufstellen. Der Orden verpflichtete jeden zudem zu absoluter Aufrichtigkeit und einem gottgefälligen, christlichen Leben. Jedes Jahr am Georgs-Tag, seinem Namenstag, rief der Markgraf die auserwählte Schar seiner Ordensritter zum Festgottesdienst in die Ordenskirche, um danach ausgiebig im hohen Kapitelsaal des Ordensschlosses zu tafeln. Die Ordensregeln verkamen da freilich mitunter schnell zur Makulatur.

Interessant vielleicht noch, daß der Orden 1734 unter dem Namen »Roter Adler Orden« wiederbelebt und auf Anregung des preußischen Ministers Karl August von Hardenberg 1792

**Der große Ordenssaal im ersten St. Georgener Schloß
mit der »Rittertafel« aus dem Jahr 1722**

zum zweithöchsten preußischen Orden wurde.

Wir biegen jetzt rechts ab in die Bernecker Straße, folgen ihr einige Kilometer bis zum Abzweig der Eremitagestraße, die rechts in Richtung Eremitage führt. Mit einem Knick mündet diese in die Königsallee, an der der Parkplatz der Eremitage liegt. Dort lassen wir das Auto stehen und spazieren am Kanal des wiedererstandenen Barockgartens entlang zur Hauptallee. Von hier aus dringen wir in Wilhelmines einzigartige kaleidoskopische Park- und Schlösserwelt ein, die für entscheidende Jahre Mittelpunkt der höfischen Geselligkeit und Kultur war.

❻ Park und Schlösser der Eremitage

»Wenn du dir aus dem Walzer meines Lebens und aus meiner Lust und aus meinen Sorgen und Absichten nur das geringste machst ...: so zieh um des Himmels willen Stiefel an und komm!« Mit diesem Appell lockte Jean Paul seinen berühmten Romanhelden, den Armenadvokaten Siebenkäs, nach Bayreuth und in die Eremitage, die der Dichter denn auch überschwenglich als »grünendes Lustlager« und »zweiten Himmel um Bayreuth« pries.
Die Idee der Eremitage geht auf den St. Georgener Markgrafen Georg Wil-

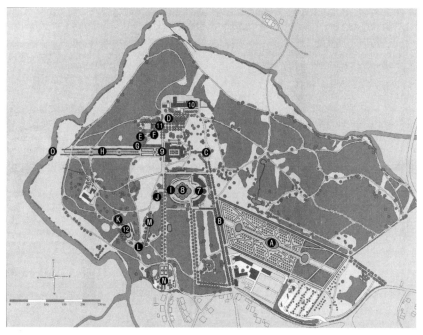

Park und Schlösser der Eremitage

7 Neues Schloß und Sonnentempel
8 Großes Bassin
9 Altes Schloß
10 Ehemaliges Wirtschaftsgebäude
11 Römisches Theater
12 Untere Grotte

A Kanalgarten
B Hauptallee
C Parnaß
D Wasserturm, Tuffsteinbrunnen
E Folichon
F Einsiedeleikapelle
G Pavillon
H Kaskaden mit Allee
I Obere Grotte
J Drachenhöhle
K Eremitage des Markgrafen Friedrich
L Vogelhaus
M Brückenweiher
N Montplaisir
O Roter Main

helm zurück, den Exzentriker auf Bayreuths Fürstensitz, der den romantischen Waldhügel an den Schlangenwindungen des Roten Mains nach dem Modediktat des Sonnenkönigs Ludwig XIV. in Marly bei Versailles zur Bühne seiner kunstvoll arrangierten Eremitenspiele umgestaltete. Einen exklusiven Zirkel seiner Hofgesellschaft steckte er dabei in härene Kutten und trieb sie in kleine, über das abgeschiedene Hügelgelände verteilte hölzerne »Einsiedeleien« – zur mönchischen Meditation. Später versammelte er sie im »Refektorium« des Alten Schlosses, das er mit einem Innenhof nach Art eines Klostergartens versehen hatte. Sein Wahlspruch: »Ich bin allein, wenn ich vergnügt sein will.« Mit echter religiöser Weltflucht hatte das freilich kaum noch etwas zu tun. Man wollte sich amüsieren, und man amüsierte sich – eben auch als »Eremit«. Die berühmte Liselotte von der Pfalz, Herzogin von Orléans, sah es bei ihrem Bayreuth-Besuch 1721 denn auch einigermaßen indigniert: »L'esprit de vertige regirt woll an dießem hoff – auch mit ihrer einsiedely.« Dann freilich kam Wilhelmine und sorgte mit ihrem Neuen Schloß und den kunstvollen Grottenanlagen auch hier auf dem bewaldeten Hügel der Eremitage für Stil, Charakter und Kultur, gab ihrer Individualität die Sporen und der Eremitage ab 1735 jene

Johann Thomas Köppel. Neues Schloß Eremitage, um 1750

Einmaligkeit, die den Ort, wie es zu Recht im offiziellen Führer heißt, zu einem der kultur- und gartengeschichtlich bedeutendsten Denkmäler des 18. Jahrhunderts in Deutschland werden ließ. In der Eremitage besuchten sie denn auch ihr Vater, Preußens rabiater Soldatenkönig, ihr Bruder Friedrich und Voltaire. Auch Wagner machte später regelmäßig Ausflüge hierher. Und im turbulenten ersten Festspielsommer ließ er gleich zwei seiner hochrangigsten Gäste in der Eremitage logieren: Ludwig II., den königlichen Gönner, der sich quasi inkognito für die Generalproben angesagt hatte, um allen Ovationsberührungen zu entgehen, und Kaiser Wilhelm I., dem der Jubel der »preußischen Franken« nur gelegen kam. Zu Ehren Kaiser Wilhelms I., der am 12. August 1876 in Bayreuth erschien, wurde der Park der Eremitage noch am selben Abend von 2000 Fackelträgern illuminiert. Zu den aufschießenden Strahlen der Wasserspiele des Großen Bassins ertönte Wagners *Kaisermarsch*. Ein Wortscharmützel zwischen Kaiser und Komponist am Ende der Festspielvisite zeigte jedoch die Grenzen der Berlin-Bayreuther Belastbarkeit. Als Wilhelm I. Wagner am *Walküre*-Abend erklärte, er bedaure, nicht länger als zwei Aufführungen bleiben zu können, erwiderte Wagner laut Cosima: »Die Gnade ist nicht an Raum und Zeit gebunden«, und – nachdem eine der Begleiterinnen sich zum Bleiben entschloß – »Dann dehnen Sie die Gnade aus.« Der Kaiser, wohl wissend, daß er Wagner mit Gnaden vor allem finanzieller Natur

nicht überschüttet hatte, parierte: »Das war ein Hieb.«

Links an der Hauptallee liegt das Neue Schloß, das ursprünglich als Menagerie und Orangerie gedacht war, schließlich zum Lustschloß umfunktioniert wurde.

❼ Neues Schloß Eremitage

Im großen Naturtheater der Eremitage erscheint das Neue Schloß Wilhelmines mit seinen je nach Wetter hell oder düster glitzernden Scherben-, Schlacken- und Kristallapplikationen als die originellste Kreation. Ein Lustschloß, das ideell von Sanssouci, dem Sitz ihres Bruders Friedrich II. in Potsdam, inspiriert war, zugleich aber in seiner sichel- und zirkelförmigen Gestalt als eigene Bayreuther Erfindung gesehen werden kann. Wilhelmine hatte die Zweiflügelanlage 1749 bis 1753 am Ort des ehemaligen Irrgartens erbauen lassen. Mit einem freistehenden Tempel im Zentrum, von dessen Kuppel der griechische Lichtgott Apoll auf seinem von goldenen Rössern gezogenen Wagen in den Götterhimmel stiebt. Das kleine markgräfliche Bayreuth feierte sich hier im Widerhall der Antike.

Das war nicht nur Passion, es war auch Programm. Denn die gesamte Schloßanlage sollte als symboltiefes Spiegelbild der Welt verstanden werden, wie Peter O. Krückmann es im Katalog zur großen Wilhelmine-Ausstellung 1998 einfühlsam beschrieben hat. Apoll steht danach für das täglich wiederkehrende Licht, das Wasserbecken für das Meer, die Volieren mit den Vögeln für die Luft, die aufgestellten Pflanzen für die Erde. Selbst die »gläserne« Außenhaut des Sonnentempels und der beiden Schloßflügel hat einen tieferen Sinn, sollte sie doch mit ihren blauen, gelben und roten Glasflüssen – einer Bühnenvision Francesco Galli Bibienas gleich – Apolls Kristallpalast evozieren. Den Schriftsteller Karl Immermann (1796–1840) hielt das freilich nicht davon ab, den kalt kokettierenden Glimmer spöttisch mit dem Satz abzutun: »Es ist, als ob das Gebäude den Aussatz hätte.« Auch die grimmig blickenden römischen Kaiser, die zinnern die Säulen der Arkaden krönen, fanden nicht bei allen Besuchern freudige Resonanz. Dennoch: Wilhelmines Lustschloß ist mehr als nur eine historische Merkwürdigkeit mit surrealistischem Touch.

Wir gehen jetzt die schwungvollen Treppen zum Großen Wasserbassin hinab, in dem bis in den Oktober hinein die Wasserspiele der Eremitage zu bewundern sind.

❽ Großes Bassin

Wagner liebte es, bei seinen Spazierfahrten zur Eremitage, die »Wässer springen« zu lassen. Richard: »… da zischt's und pischt's in tausend Kleinigkeiten.« Jean Paul flocht die Wasserspiele der Eremitage wortreich in die Bayreuther Passagen seines Romans *Siebenkäs* ein. »Unten stellten sie sich auf den Steinrand des Wasserbeckens und sahen den schönen Wasserkünsten zu, welche längst vor dem Leser werden gesprungen haben an Ort und Stelle oder auf dem Papier der ver-

schiedenen Reisebeschreiber, welche darüber sich hinlänglich ausgedrückt und verwundert haben«, schrieb er. »Alles mythologische halbgöttliche Halbvieh spie, und aus der bevölkerten Wassergötterwelt wuchs eine kristallene Waldung empor, die mit ihren niedersteigenden Strahlen wieder wie Lianenzweige in die Tiefe einwurzelte.« Was die Bayreuther Bildhauer an Skulpturen für das Wasserbecken schufen, ist in der Tat eine betörende steinerne Assemblage aus Fisch- und Fabelwesen, die unter gehörigem Druck aus 56 Fontänen Wasser in die Luft schießen. Hinter den Wasserschleiern scheint das Neue Schloß manchmal wie ein Zauberschloß zu verschwimmen.

Wir verlassen den Bereich des Neuen Schlosses hinter dem Großen Bassin, halten uns rechts und sehen vor uns das Alte Schloß.

❾ Altes Schloß Eremitage

Am liebsten schuf Wilhelmine Neues – wie das Opernhaus, das Residenzschloß in der Stadt (vgl. S. 79 und S. 112) oder das Lustschloß der Eremitage. Doch die brillante Verwandlung des Alten betrieb die Markgräfin mit derselben Rigorosität. Beim Alten Schloß der Eremitage muß es ihr geradezu in den Fingern gejuckt haben, dem bereits Vorhandenen neue Form und Finesse zu geben – vor allem im Innern. Denn außen war der Bau aus der Zeit des Markgrafen Georg Wilhelm schon extravagant genug. Wenn Wilhelmine von »einem in seiner Art einzigen Schlösschen« sprach, hatte

Altes Schloß Eremitage mit dem Eingang zur Festhalle

sie völlig recht. Georg Wilhelms 1718 vollendetes Schloß hat tatsächlich Seltenheitswert. Die Mauern wirken roh, wie aus unbehauenen Quadern errichtet, Fratzen wachsen aus den Steinen wie Relikte aus der Urzeit, an manchen Stellen überlagern Tuffsteinfelsen das Mauerwerk, als sei es von Lava übergossen: die Kamine auf dem Dach – Steinhaufen, auf denen einst Sträucher grünten. Das Rauhe, Einfache – ein Produkt sublimer Künstlichkeit. Aber wieviel Glanz, wieviel Delikatesse unter dieser groben, rauhen, oft gar häßlichen Schale! Man geht durch die Räume des Alten Schlosses wie durch »Wunder-Kammern«, in denen ein extrem verfeinerter Geist die Zügel seiner Phantasie schießen ließ. Der Marmorsaal, von dem aus man in die Räume der Markgräfin gelangt, zeigt zwar noch Georg Wilhelms Einfluß. Hier war das »Refektorium«, in dem der Markgraf als »Superior« seine »Eremiten« empfing. Hier speiste man mit primitivem Besteck und aus einfachstem irdenem Geschirr, was die

Hofdamen selbst gekocht hatten. Des Markgrafen schöne Bildnisbüste aus farbig gefaßtem Stuck auf dem Kamin erinnert daran. Dann aber ist man bereits in Wilhelmines Reich: im Vorzimmer, im Audienzzimmer, schließlich im sogenannten Japanischen Kabinett, an dem sie selbst mitgewirkt hat und für das ihr Friedrich II. aus Berlin zwei originale ostasiatische Lacktafeln schenkte. Übertroffen wurde das alles aber noch vom Musikzimmer und vom Chinesischen Spiegelscherbenkabinett. Es war der intimste Raum, in dem Wilhelmine – als dieser noch braun lackiert und mit Miniaturblumen ausgemalt war – ihre *Memoiren* schrieb. Jene zu Unrecht als medisant verschrieenen Bekenntnisse einer schönen, stolzen, durch Untreue gekränkten Seele, die Mißtrauen und Einsamkeit bitter gemacht hatten. Sollten die mutwillig zerbrochenen Spiegel, die das Schreibkabinett später in eine seltsam verstörende Vexierwelt verwandelten, geheime Reflexe ihrer schmerzhaften

**Markgräfin Wilhelmines Reich:
Chinesisches Spiegelscherbenkabinett**

Pesne schuf auch das Bildnis der Wilhelmine Dorothea von der Marwitz, die hier aufreizend im Redoutenkostüm mit Maske erscheint. Die Marwitz war Hofdame und engste Vertraute der Markgräfin, bis sie die Mätresse des Markgrafen Friedrich wurde. Als Wilhelmine sie mit einem österreichischen Grafen verheiratete, kam es darüber fast zum Bruch mit Friedrich II., da dieser die Marwitz für eine Agentin Österreichs hielt. Im Briefwechsel zwischen Friedrich und Wilhelmine kommt der heikle Casus ausgiebig zur Sprache. Die Marwitz warf in jedem Falle tiefe Schatten auf Wilhelmines Lebensglück. Dennoch flog die Ungetreue nach ihrer Affäre nicht aus der Freundschaftsgalerie des Musikzimmers, auf dessen Pla-

Selbstbeschau gewesen sein? Die »löcherigen« Spiegelscherbenkabinette, wie sie hier und im Neuen Bayreuther Stadtschloß zu finden sind, gab es jedenfalls in dieser Form nur in Bayreuth.
Wieviel Heiterkeit strahlt dagegen Wilhelmines Musikzimmer aus, ein Spitzenwerk höfischer Raumkunst im Zeitalter des deutschen Rokoko. Jean Baptiste Pedrozzi gab diesem Salon den Schliff. Mit den zart in die Wände eingelassenen und umrahmten Porträts erwies die Markgräfin ihren Hofdamen und Freundinnen ihre Reverenz. Viele der Porträts stammen von Antoine Pesne, einem der gefragtesten Bildnismaler seiner Zeit, der vor allem unsere Vorstellung vom friderizianischen Preußen entscheidend mit geprägt hat.

**Wilhelmines Nebenbuhlerin: Wilhelmine
Dorothea von der Marwitz, um 1738**

fond denn auch besänftigend Orpheus schwebt, der mythische Sänger, der durch die Macht der Musik alles, selbst die wildesten Geschöpfe, in seinen Bann schlägt.

Die Macht der Musik: Wilhelmine hat sie auch kühl und effektvoll genutzt. Für ein Bankett zum Beispiel, bei dem Markgraf Friedrichs Schwester an den Mann, und zwar an den Herzog von Weimar, gebracht werden sollte. Um ihn kirre zu machen, fuhr die Markgräfin, wie in ihren Erinnerungen nachzulesen, genüßlich an Musik auf, was nur aufzutreiben war: »Trompeten, Pauken, Dudelsackpfeifen, Schalmeien, Jagdhörner, Posaunen, was weiß ich; wir wurden halbtaub davon. Mein Herzog war bald wie von der Tarantel gestochen.« Sprang auf von der Tafel, schlug auf die Pauken, kratzte auf der Geige, tanzte und sprang. Eine Szene wie aus dem Komödienstadl.

An Scherze war das Alte Schloß freilich schon gewöhnt. Denn sein Erbauer, Markgraf Georg Wilhelm, pflegte seine Gäste mit einer kalten Dusche zu empfangen. Am hinteren Eingang des Alten Schlosses, der einst der Haupteingang war, wurden sie erst einmal in die Grotte geführt, in der aus 200 Düsen Regen auf die Ahnungslosen niederging. In der Mitte der Grotte schoß dazu eine Fontäne hoch, auf deren Wasserstrahlen eine Messingkrone mit Kerzen tanzte. Wer sich da einen Jux machte, war klar. Der Markgraf schaute derweil gelassen vom Balkon aus zu.

Wasserspiele in der Grotte des Alten Schlosses Eremitage

Wir treten aus dem Schloß heraus, wenden uns nach rechts und kommen auf einem Querweg zum ehemaligen Wirtschaftsgebäude der Eremitage. Es stammt aus dem Jahr 1720, also schon aus der Zeit Georg Wilhelms, und ist heute Schloßgaststätte und Hotel.

❿ Ehemaliges Wirtschaftsgebäude Heute Schloßgaststätte Eremitage

Hier war Wolfgang Koeppen 1981 zu Gast, der Schwierige unter Deutschlands bedeutenden Schriftstellern der Nachkriegszeit (*Das Treibhaus, Der Tod in Rom*). Seine Auftraggeber vom Bayerischen Rundfunk, die von ihm ein sendefähiges Manuskript über Richard Wagner erwarteten, hatten ihn,

um ihn vor dem Bayreuther Festspiel-
trubel zu schützen, auf eigenen Wunsch
in der Einsamkeit des Eremitage-Ho-
tels untergebracht. Aber Koeppen tat
sich schwer, nicht nur mit Wagner und
Bayreuth, auch mit der Eremitage.
Doch gerade deshalb wurde ein Stück
faszinierender Prosa daraus.
»Ankunft in Bayreuth zu den Festspielen. Leichter Regen. Ich bin aber
nicht in Bayreuth, ich bin angekom-
men in der Eremitage der Markgräfin. Ich hatte vergessen, wie nah oder
weit Klingsors Zaubergarten vor der
Stadt liegt. Der herrliche Park, die ver-
schlungenen Wege, die falschen Ruinen der echten Gefühle, die plät-
schernden Brunnen, den Nymphen
geweiht, dort eine Freilichtbühne,
Amateurschauspieler und ihr Regisseur, sie proben, regennaß, ein franzö-

sisches Stück aus dem Großen Zeitalter der Moral und der Unmoral, zu
zartem Schaum geschlagen. Das Hotel
inmitten dieser Idylle ist ein altes,
langgestrecktes Gesindehaus, die Zimmer im ersten Stock. Unten ein Gar-
tenausflugslokal, trotz des Regens alle
Gartenstühle und Gartentische voll
besetzt. Ein Verein feiert ein Fest. Am
Spieß über einem offenen Feuer ein
Tier. Vorwurfsvoller verzweifelter
Blick des totgeschlagenen Tieres. Hunde ringsum. Sie wittern das Wild und
springen den Braten an. Ein altes Bild.
Mich begrüßt ein dickliches Mädchen.
Mir ist, als käme sie mir in Kafkas
Schloß entgegen. Sie umarmt mich
heftig, bedauert, daß ich allein, ohne
Frau und Hund gekommen bin, ver-
spricht mir trotzdem gute Nächte …
Sonntag, ich erwache früh, nicht froh,

**Römisches Theater der Eremitage während der Aufführung von
Cimarosas *Musikmeister***

habe die Zeit verloren, ich fühle mich unausgeschlafen, von Stille bedrängt, sie steigt wie Nebel aus dem Park, kommt übers Bett durchs offengebliebene Fenster, absolute Ruhe, das ist schlimm. Es regnet, aber sehr leise. Eine schöne tote Natur, in der ich störe. Ich fühle mich dem Park ausgeliefert und weiß nichts mit ihm anzufangen. Wäre ich ein Eremit in der Eremitage, ich hätte zu tun, schlösse alle Tore. Nackt oder in einem Umhang aus Laub. So habe ich keinen Schirm, keinen Hut, kein Automobil. Dieser Park frißt mich auf ...«

Umwege zu Wagner hieß sein Text, der erst nach zweijähriger Inkubationszeit gesendet werden konnte und mit einem »Ich mochte Wagner nicht« provokant beginnt. Es war eine Schwerstgeburt, wie vieles bei Koeppen. Aber, so ein Freund: Wer Koeppen Zeit gibt, dem gibt er sie als Literatur zurück.

Wir halten uns jetzt links und gehen am alten Wasserturm der Eremitage vorbei zum Römischen Theater.

⓫ Römisches Theater

Künstliche Ruinenbauten – das war ganz nach dem Geschmack der Zeit. Doch das Römische Theater, das sich Wilhelmine 1743 bis 1745 von ihrem Hofarchitekten Joseph Saint-Pierre in der Eremitage errichten ließ, war in seiner Gestalt etwas Neues, Originäres: eine antikisch geformte steinerne Theaterkulisse mit provokanten Mauerrissen und -brüchen, die Wilhelmines stets wache Lust an der dramatischen Kunst und der theatralischen Selbstverwirklichung erst recht stimu-

Grabmal für Wilhelmines Lieblingshündchen Folichon

lierten. Eigentümlich genug mutet dieser Theaterbau auch heute noch an mit seinen beschädigten dorischen Säulen, die die fünf gewölbten Kulissenbögen tragen. Leicht vorstellbar, wie sich die »petite société« des Markgrafenpaars hier im Schatten der mächtigen Baumwipfel des Parks zu kleinen Schau- und Singspielen und Illuminationen zusammenfand. Überliefert ist kaum etwas davon.

Wir gehen nun in Richtung Park, an der Einsiedeleikapelle aus dem 19. Jahrhundert vorbei und sehen rechts das »antike« Grabmal, das Wilhelmine von ihrem Hofbaumeister Gontard für ihren 1755 gestorbenen Lieblingshund Folichon entwerfen ließ. Weiter geradeaus führt uns der Weg durch das Gartenparterre des Alten Schlosses, an der von Georg Wilhelm angelegten, 1983 wiederhergestellten Kaskade vorbei auf einem Waldweg zum Vogelhaus und zur Unteren Grotte.

⓬ Untere Grotte

Mit der 1737 bis 1740 erbauten Unteren Grotte haben wir eine Grottenanlage vor uns, die die Kunstgeschichte zu den größten ihrer Art zählt. Ein seltsam verhangenes Reich wasserspeiender Wesen, das einen mit seinen Verwirrstrategien unmittelbar gefangennimmt. Die Untere Grotte ist nach Wilhelmines Vorstellungen im Stil römischer Nymphäen erbaut. Der damals abgelegene Ort in einem noch wilden Waldstück des Parks sollte – in Anspielung auf die Antike – auf die abgeschiedenen Heiligtümer der Nymphen an Quellen, Hainen und Grotten verweisen. Die Nymphen galten als weibliche Erscheinungen göttlicher Herkunft, die es als beseelende Kräfte der Natur und der Erde zu verehren galt. Eine große, anmutig verknäuelte Nymphengruppe nebst Seepferden, Putten und Delphinen bevölkert denn auch das langgezogene Bassin, das seinen besonderen Reiz durch die zum Hang hin geöffnete halbseitige Arkadenumfassung erhält. Mit viel Raffinement hat Joseph Saint-Pierre das ebenfalls »ruinöse« Eremitenhaus Markgraf Friedrichs in die phantastische Grottenarchitektur mit einbezogen: einen zweistöckigen Bau, der sommers in den Astwipfeln der nahen Bäume fast zu verschwinden droht.

Wir verlassen die Eremitage in Richtung Haupteingang. Ihm gegenüber, am Knick der Königsallee, liegt die Villa Philippsruh.

⓭ Villa Philippsruh
Königsallee 240

Die berühmte englische Tänzerin Isadora Duncan (1878–1927), eine Pionierin des Ausdruckstanzes, war von Cosima Wagner 1904 als Tänzerin und Choreographin des *Tannhäuser*-Bacchanals nach Bayreuth gerufen worden. Sie war damals gerade einmal 26 Jahre alt, als sie die Bayreuther mit ihren gewagten »Auftritten« schockierte. Auf dem Festspielhügel erschien sie mal barfuß, mal wie eine Wagner-Heroine mit fliegenden Haaren hoch zu Roß an der Seite eines Offiziers. Die Herrenwelt machte ihr – wie überall auf der Welt – ohnehin heißblütige Avancen, die sie bis nach Philippsruh verfolgten.

Isadora Duncan als Grazie
im Bayreuther
***Tannhäuser*-Bacchanal, 1904**

Die Rollwenzelei vor den Toren Bayreuths

Philippsruh hatte die Duncan auf einem Spaziergang in der Eremitage entdeckt und es sich einiges kosten lassen, die Besitzer, eine Bauersfamilie, für die Dauer des Festspielsommers auszuquartieren. Aus Berlin ließ sie sogleich das ihr passende Mobiliar nach Philippsruh bringen: Diwane und Strohfauteuils und schummrige Lampen. Umgehend sagte man ihr nächtliche Orgien nach. Daß Cosima Wagner im Sinn gehabt haben soll, ihren Sohn Siegfried mit Isadora Duncan zu verheiraten, hat die Tänzerin kalt, aber nicht unkommentiert gelassen: »...doch fehlte jedes Anzeichen dafür, daß er mir seine Liebe schenken könnte. Ich selbst ging völlig in Heinrich Thodes überirdischer Liebe auf, und der Gedanke wäre mir niemals gekommen, in einer solchen Verbindung wertvollere Möglichkeiten zu suchen. Meine Seele glich einem Schlachtfeld, wo Apollo, Dionysos, Christus, Nietzsche und Richard Wagner einander den Rang streitig machten. In Bayreuth wurde ich zwischen Venusberg und Gral hin- und hergeworfen.« Irgendwann überwarf sich die Duncan jedoch mit der Gralshüterin Cosima, nachdem sie sich bei einer Wahnfried-Visite despektierlich über Wagners Begriff des Musikdramas ausgelassen hatte. Das war das Ende der Duncan in Bayreuth.

Wir gehen zum Parkplatz zurück und fahren mit dem Auto die Königsallee hinunter, bis diese auf die Kemnather Straße stößt. Links an der Abzweigung zur Stadt liegt Jean Pauls Rollwenzelei.

⓮ Rollwenzelei
Königsallee 84
Die Rollwenzelei war ein kleines Gasthaus östlich von Bayreuth, auf halbem Weg zur Eremitage gelegen. Für Jean-Paul-Freunde ein Ort nostalgischer Erinnerung, den man glücklicherweise auch heute noch besuchen kann, allerdings erst nach telefonischer Vereinbarung (0921/9 24 13). In die Rollwenzelei marschierte der von Familie und Ehe gestreßte Dichter, um zum Schrei-

Dorothea Rollwenzel

ben in Klausur zu gehen. Am Haus meldet denn auch eine Tafel beglückt: »Hier dichtete Jean Paul.« Betreut wurde Jean Paul von der Wirtin Dorothea Rollwenzel, die nicht nur für Speis und Trank sorgte, sondern auch für die nötige Bewunderung. Die Rollwenzelin war eine lebenskluge Person, die wußte, was sie an diesem Mann hatte, der ihre bescheidene Schankwirtschaft durch seine Berühmtheit zur Pilgerstätte werden ließ. »Heute könnte gerollwenzelt werden«, war unter Jean Pauls Freunden schon zu Lebzeiten des Dichters ein geflügeltes Wort. Die Rollwenzelin selbst hat aus ihrer Verehrung für Jean Paul keinen Hehl gemacht. »Sehen Sie, keiner hat den Witz, den er hat … woran ein anderer eine Stunde schreibt, das fliegt bei ihm in einer Minute. Er schreibt Ihnen so schnell, daß es erstaunlich ist«,

ließ sie sich gegenüber einem Zeitgenossen vernehmen. »Ach, wenn ich ihn so sehe, den lieben Herrn, aus seiner Studierstube herauskommen mit dem roten Gesichte, so aufgelaufen, und wenn die Augen hervortreten und wild umhersehen, da denke ich immer: Ach, du lieber Gott, erhalte mir doch den herrlichen Mann, der meinem Hause so viel Glück und Ehre und Reputation gebracht hat.«

Auch daran denkt man, wenn man das kaum sechzehn Quadratmeter große, aber sehr helle Zimmer im ersten Stock des Hauses betritt, in dem zum Teil noch die Originalmöbel und -utensilien stehen. Eine alte Haube der Rollwenzelin wird dort mit Sorgfalt aufbewahrt. Ins Gästebuch der Rollwenzelei haben sich namhafte Jean-Paul-Verehrer eingetragen, auch Alfred Kerr, Starkritiker der Zwanziger Jahre, der sich seinen Zorn über den dominanten Ruhm Wagners mit dem trotzigen Reim von der Seele schrieb: »Vergessen dich die Deutschen heut? Du bist der Meister von Bayreuth!« *Über die Königsallee, die Wieland-Wagner-Straße und den Hohenzollern-Ring fahren wir wieder zurück in die Stadt.*

Der Stadtfriedhof von Bayreuth mit dem frühen Jean-Paul-Grabmal

Fünfter Spaziergang
Todesruh und Lebenslust
Vom Stadtfriedhof
zur Maisel-Brauerei

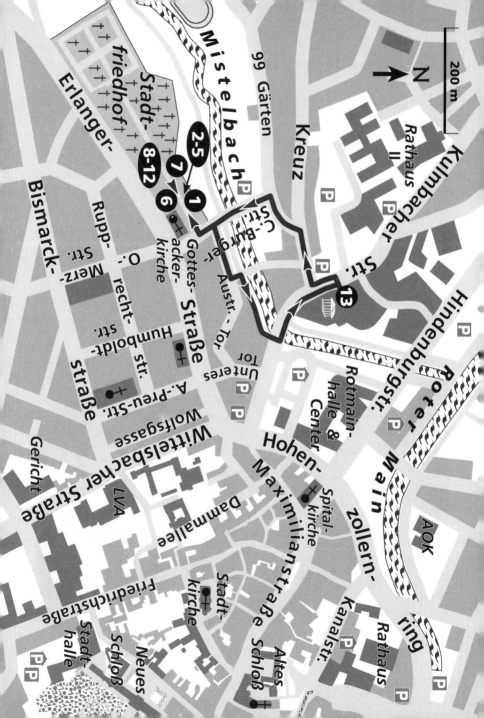

Friedhöfe sind Orte von eigenem Reiz und eigener Poesie. Orte des Vergehens, der mit Gleichmut ertragenen Zeit, Orte, die ihre Atmosphäre und ihren Charakter nicht nur durch die Namen großer Toter gewinnen, wie so mancher schlichte Dorffriedhof zeigt. Der Stadtfriedhof an der Erlanger Straße jedenfalls spiegelt beides – das prominente und das unbekannte Bayreuth. Er ist die Ruhestätte berühmter Künstler und Persönlichkeiten wie Franz Liszt, Jean Paul, Siegfried Wagner oder Oskar Panizza, weckt aber auch Neugier auf die Schicksale normaler Bürger wie jener markgräflichen »Stecknadelbraut«, die an ihrem Hochzeitstag eine Nadel verschluckte und daran starb, oder jenes uns unbekannten »Spielers« namens Orlando Strauß, dem man Spielkarten mit aufs Grabmal setzte samt der lässigen Glücksverheißung »Ende gut, alles gut«.

Wir betreten den Stadtfriedhof von der Erlanger Straße, Ecke Carl-Burger-Straße, also von jener Seite, an der auch die alte Gottesackerkirche steht. An der Hauptallee zeigen kleine Hinweisschilder jeweils die Lage der Grabstellen an. Als erstes sehen wir rechts an der Hauptallee das Liszt-Mausoleum liegen. Nach unserem Rundgang über den Friedhof gehen wir am romantischen Mistelbach entlang zur Maisel-Brauerei, deren Museum alles über die Künste und Tricks des Bierbrauens verrät. Nach dem Memento mori die schäumende Lebenslust.

❶ Mausoleum Franz Liszt

Die Grabkapelle für Franz Liszt (1811–1886) fällt vor allem durch die vielen Huldigungsbezeugungen seiner ungarischen Landsleute auf, die das Mausoleum mit Lorbeerkränzen, Schleifen und Versen reich geschmückt und in den hellen Dreiklang der Nationalfarben Rot, Weiß, Grün getaucht haben. Es hatte Streit darüber gegeben, wo der Komponist begraben werden sollte. Die ungarischen Liszt-Bewunderer reklamierten den Leichnam natürlich für eine Grablegung in ungarischer Erde. Auch Weimar bot sich an, war es doch lange Liszts Lebensort gewesen. Doch Cosima stellte Bedingungen: Nach Weimar wollte sie den Leichnam nur überführen lassen, wenn Liszt in der Fürstengruft neben Goethe und Schiller zu liegen komme. Für eine Beisetzung in Ungarn forderte sie vom ungarischen

Grabkapelle Franz Liszts vor der Zerstörung im Zweiten Weltkrieg

Parlament ein Staatsbegräbnis. Beides verweigerte man der Tochter. So wurde denn Bayreuth zur letzten Ruhestätte Franz Liszts. Nietzsche dazu an die Freundin Malwida von Meysenbug: »So hat sich denn der alte Liszt, der sich aufs Leben und Sterben verstand, nun doch noch gleichsam in die Wagnersche Sache und Welt hinein *begraben* lassen: wie als ob er ganz unvermeidlich und unabtrennlich hinzugehörte. Dies hat mir in die Seele Cosimas hinein weh getan: Es ist eine Falschheit mehr um Wagner herum, eins jener fast unüberwindlichen Mißverständnisse, unter denen heute der Ruhm Wagners wächst und ins Kraut schießt.«

Die in Bayreuth anwesenden Liszt-Freunde und -Schüler waren vor allem empört, daß die Familie Wagner weder eine Feierstunde für Liszt im Festspielhaus anberaumte noch andere Zeichen pietätvollen Gedenkens setzte, vielmehr ostentative Teilnahmslosigkeit zur Schau trug. Wie der österreichische Dirigent Felix Weingartner in seinen *Erinnerungen* schrieb, mußte das diejenigen aufs tiefste verletzen, in deren Bewußtsein lebte, was Liszt für Wagner und Bayreuth als selbstloser Förderer getan hatte. Seine späten Elegien auf Wagner nicht eingerechnet: jene kargen, rätselhaften und weit ins 20. Jahrhundert weisenden Klavierstücke *La lugubre gondola* und *R. W.- Venezia*, mit denen Liszt den Freund Wagner auf bewegende Weise ehrte.

Weingartner hat auch einen anrührenden Bericht vom Bayreuther Begräbniszug gegeben: »Wir, seine letzten Schüler und Freunde, trugen das Bahr-

tuch. Tiefe Wolken hingen trübsinnig herab, doch fiel nur spärlicher Regen. Hofrat Gille aus Jena und viele Weimaraner darunter auch die treue Haushälterin, Pauline Apel, waren herbeigeeilt. Die Geschwister Stahr, die beiden ›Stärchen‹, standen, eng aneinandergeschmiegt und wortlos trauernd am offenen Grabe, in ihren altmodischen Kleidern Schatten gleichend, die eine längst vergangene Zeit in die Gegenwart hineingetaucht hatte. Der Sarg wurde hinabgesenkt. Man hörte das Fallen der nachgeschaufelten Schollen, zuerst noch klirrend, solange sie auf das Metall auffielen, dann leise rasselnd, da sie nur mehr die Erdschicht berührten. – Fahr' wohl, was sterblich war an dir, edler, gütiger, großer Franz Liszt! – Nur deinem Geiste werden wir noch begegnen.«

Das Liszt-Mausoleum, das Gabriel Seidl in neoromanischem Stil entworfen hatte, wurde im Zweiten Weltkrieg zerstört, aber 1982 wiederaufgebaut. Auf dem Giebel der Vorhalle steht: »Ich weiß, daß mein Erlöser lebt.« *Gleich hinter dem Mausoleum, vom Hauptweg rechts ab, liegen die Gräber von Hans Richter, von Wagner-Tochter Eva und deren Mann Houston Stewart Chamberlain, von Helena Wallem und Carl Kittel.*

❷ Grab von Hans Richter

Hier ruht der Dirigent Hans Richter (1843–1916), Wagners »lieber Gesell«, der nach Triumphen in London und Wien seinen Lebensabend in Bayreuth verbrachte, wo er als Alterssitz eine entzückende Villa aus der Mark-

Ring-Dirigent Hans Richter
als Karikatur

grafenzeit hinter dem Reitzenstein-Palais fand. Er nannte sie nach den *Meistersingern* seine »Tabulatur«, die jedoch nach dem Zweiten Weltkrieg der Abrißwut der Bayreuther Ratsherren zum Opfer fiel. Richter war von 1876 bis 1912 auf dem Grünen Hügel tätig und darf als einer der Lordsiegelbewahrer des Wagnerschen musikalischen Erbes gelten. Ein Dirigent von größter Umsicht und Intuition, ein Musiker durch und durch, der sein Handwerk glänzend beherrschte, doch nach Wagners Tod bei Cosima keineswegs auf einhellige Zustimmung stieß. So mußte er sich im Jahr 1896 die *Ring*-Aufführungen mit Felix Mottl und dem jungen Siegfried Wagner teilen.

Auch Wagner selbst hatte an Richters *Ring*-Tempi stets etwas auszusetzen

gehabt. Nach dem ersten Festspielsommer 1876 schrieb Cosima in ihr Tagebuch: »Richter nicht eines Tempos sicher. Trübsal! Erschütterung! Richard sehr traurig.« Gleichwohl hat sich Richter mit dem *Ring* und den *Meistersingern* tief in die Geschichte der Festspiele eingegraben als ebenso profilierter wie populärer Repräsentant der Bayreuther Tradition. Über seine *Meistersinger* ließ sich Debussy denn auch geradezu euphorisch aus: »Wenn es überhaupt nicht mehr möglich scheint, noch mehr Klangreichtum zu erzielen, wirft er beide Arme in die Luft, und das ganze Orchester stürzt sich mit einem so wilden Elan in die Musik, daß auch die störrischste Gleichgültigkeit ... hinweggefegt wird.« Und Wilhelm Furtwängler pries Richters letzte Bayreuther *Meistersinger* 1912 überhaupt als die schönste Wagner-Aufführung, die er je erlebte.

Kein Wunder, daß Richter sich vor Kartenanfragen nicht retten konnte. Er parierte mit einem Satz, der als unübersehbare Warnung an seinem Hut stak: »Ich bitte mich nicht um Karten zur Hauptprobe anzusprechen, da ich keine besitze.« So jedenfalls ging es in den Bayreuther Karikaturen- und Anekdotenschatz ein.

❸ **Grabstätten von Eva Chamberlain, geb. Wagner, und Houston Stewart Chamberlain**
Eva Wagner (1867–1942) war die zweite Tochter von Cosima und Richard Wagner. Sie wurde in Tribschen

geboren wie Wagners Sohn Siegfried. Eva Wagner war bereits 41 Jahre alt, als sie Houston Stewart Chamberlain 1908 heiratete, den fanatischen Rassentheoretiker, der nicht nur auf Adolf Hitler eine so verhängnisvolle Wirkung ausübte. Schon vor ihrer Heirat mit dem britischen Kulturkritiker hatte Eva ihrer von Krankheit geschwächten Mutter Cosima als Sekretärin gedient, eine Position, die sie dann auch für ideologische Einflußnahme im »völkischen« Sinn nutzte.

In die Wagner-Geschichte ging Eva Chamberlain aber noch aus anderen Gründen ein, die Bayreuth noch lange nach ihrem Tod in Atem hielten. Zur Hochzeit am 25. Dezember 1908 hatte Cosima Eva angeblich ihre »Tagebücher« als Mitgift geschenkt, »jene glühenden Notate einer Frau, die im Lebenswerk ihres Mannes vollkommen aufging und von sich selbst offenbar nichts andres überliefern wollte als diese eine große Leidenschaft ihres Lebens«, wie die Herausgeber Manfred Gregor-Dellin und Ulrich Mack es treffend formulierten. Doch bis zur Erstpublikation der 21 Hefte war es noch ein langer, abenteuerlicher Weg, der begleitet war von eidesstattlichen Erklärungen, harschen Verfügungen und Prozessen. In jedem Fall aber mußte sich die Welt jenen testamentarischen Auflagen Evas fügen, nach denen die Tagebücher erst dreißig Jahre nach ihrem Tod für die Öffentlichkeit freigegeben werden durften. Die wissenschaftliche Edition 1976/1977 war eine Sensation, die nicht nur neues, korrigierendes Licht auf Wagner und Cosima warf, sondern auch auf die Beziehungen Wagners zu Ludwig II., Hans von Bülow oder Liszt.

Noch ein zweiter fragwürdiger Fall brachte Eva Chamberlain in die Schlagzeilen: Es ging um die Briefe Richard Wagners an Cosima, die sie angeblich allesamt auf Geheiß ihrer Mutter und ihres Bruders Siegfried nach dessen Tod verbrannt hatte. So jedenfalls versicherte sie es in einer Erklärung vom 5. November 1934. Vorausgegangen war eine polizeiliche Anzeige gegen Unbekannt, mit der Winifred Wagner den »Raub« der »Correspondenz mit C.« aus dem eisernen Schrank in Wahnfried gemeldet hatte. Wundersamerweise tauchten einige der Briefe 1979 jedoch wieder auf und wurden samt ihrer Geschichte von Manfred Eger in den Programmheften der Festspiele 1979 veröffentlicht.

❹ Grab von Helena Wallem
Helena Wallem (1873–1953) hat sich als Gründerin der Wagner-Gedenkstätte in Bayreuth einen Namen gemacht. Die Baltin war die Pflegetochter und langjährige Assistentin des ersten Wagner-Biographen Carl Friedrich Glasenapp, dessen Bibliothek sie zusammen mit anderen Glasenapp-Memorabilien vor den Russen aus Riga rettete und der Stadt Bayreuth vermachte. 1924 wandte sie sich mit einem dringlichen Appell an alle Freunde der »Bayreuther Sache«, Wagner-Erinnerungen und -Dokumente für die von ihr geplante Bayreuther Gedenkstätte zu stiften. Ihr Aufruf hatte Erfolg. Bereits 1926 entstand im Neuen

Carl Kittel neben Wilhelm Furtwängler, Arturo Toscanini, Winifred Wagner, Friedelind Wagner und Heinz Tietjen (von re. nach li.)

Schloß neben dem Glasenapp-Gedenkzimmer der Biographische Wagnersaal, später kamen weitere Räume hinzu, in denen sie die Wagneriana, in stimmigen Zusammenhang gebracht, präsentierte.

❺ Grab von Carl Kittel

War er ein Präzisionsfanatiker, gar ein Pedant? Carl Kittel (1874–1945), den die Harfe auf seinem Grabmal als Musiker ausweist, hat jedenfalls auf die Minute genau die Aktlängen der Bayreuther *Ring*-Aufführungen der Jahre 1896 und 1897 für die Nachwelt protokolliert: als Richtmaße jenes »Bayreuther Stils«, dessen Zeuge und späterer Mitgestalter er war. Zu den Besonderheiten dieses Stils gehörten natürlich auch die Tempi. So interessierte ihn denn auch, wie schnell die drei Bayreuther *Ring*-Dirigenten Hans Richter, Felix Mottl und Siegfried Wagner 1896 und 1897 die einzelnen Akte genommen hatten. Seine Bilanz: Obwohl die drei an Temperament, Alter und Mentalität gänzlich verschieden waren, gab es bei ihren *Ring*-Akt-

längen nur minimale Unterschiede. Beweis für die bereits eingeschliffene Macht der Bayreuther Tradition. Ganz anders später beim *Parsifal*, für den Toscanini 1931 23 Minuten weniger brauchte als sein langjähriger Vorgänger Carl Muck. »Ich habe nur das gemacht, was da steht!« Richard Strauss wiederum nahm 1933 das Bühnenweihfestspiel 45 Minuten schneller als Toscanini. Und Neu-Bayreuth brachte noch heftigere Tempoabweichungen. Im Gegensatz zu Hans Knappertsbusch raffte der Antipathetiker Pierre Boulez den *Parsifal* 1967 um fast eine Stunde! Eine Kampfansage an die »Zeitlupen-Heiligkeit«, der schon Wieland Wagner den Garaus hatte machen wollen.

Wir gehen zurück zum Hauptweg, wo wir zur Linken den schlichten Grabstein für Maria Müller vor uns sehen.

❻ Grab von Maria Müller

Die in Leitmeritz in Böhmen geborene Sängerin Maria Müller (1878–1958) war während der dreißiger Jahre bis 1944 einer der berühmten lyrischen

Maria Müller als Elsa

glanzvolle Inbesitznahme Bayreuths. Unter ihm sang Maria Müller 1943 und letztmals 1944 auch das Evchen in den *Meistersingern.* Ein lyrisch-dramatischer Sopran von strahlender Innigkeit, die sich auf den überlieferten Plattenaufnahmen allerdings nicht mehr ganz nachvollziehen läßt.

Ein wenig weiter die Hauptallee hinauf liegt zur Rechten, direkt am Weg, die Grabstätte Jean Pauls, der hier an der Seite seines Sohnes Max Emanuel bestattet wurde.

Soprane auf dem Grünen Hügel. Sie lebte bis zu ihrem Tod in Bayreuth. Maria Müller war 1930 auf Bitten Siegfried Wagners nach Bayreuth gekommen, wo sie unter Arturo Toscanini als Elisabeth im *Tannhäuser* ihr Debüt gab und sogleich Triumphe feierte. »Sie war die Inkarnation von Anmut und Lieblichkeit, Wohlgestaltetheit und Poesie«, hieß es später auch über ihre Elsa in der Neuinszenierung des *Lohengrin,* die unter Furtwänglers musikalischer Ägide stand und bald legendär war. Mit diesem *Lohengrin* begann 1936 Furtwänglers

❼ Jean Pauls Grab

Ein Granitfindling aus dem nahen Fichtelgebirge, eine in den Fels eingelassene Kupferplatte mit Namen und Lebensdaten, von züngelndem Efeu überwachsen – das ist das schlichte, aber würdige Bayreuther Grab Jean Pauls. Der Stein suggeriert festen, unverbrüchlichen Ruhm. Doch mußte Jean Paul schon zu Lebzeiten erfahren, wie dieser schmerzlich verlorenging und seine mächtige Lesergemeinde, die einst größer war als bei anderen Schriftstellern seines Rangs und seiner Zeit, abzubröckeln begann. In seinen letzten Bayreuther Jahren, die auch vom Verlust des Augenlichts verdunkelt waren, schien er schon halb vergessen. Nietzsche wußte es: »Man büßt es teuer, unsterblich zu sein: Man stirbt dafür mehrere Male bei Lebzeiten.«

Dabei hatte man ihn wie eine Kultfigur verehrt. Die Damen, vornehmlich die empfindsamen Adligen, forderten zu Hochzeiten seines Ruhms fast schon hysterisch Haarlocken von des

Dichters Schopf, die er zuweilen seinem Pudel vom Fell schnitt, um allen Bitten gerecht zu werden. Aber eine »echte« Dichterlocke ist doch überliefert – sie ruht als Reliquie im Jean-Paul-Museum Bayreuth. Ein Urenkel des Dichters schenkte sie der Stadt. Eine Ururenkelin wiederum machte Bayreuth die Freude, zur Feier des 175. Todestags Jean Pauls am 14. November 2000 im Markgräflichen Opernhaus jenen alten Schmuck anzulegen, den Königin Luise von Preußen dem Dichter einst geschenkt hatte.

Jean Paul und der Tod – das ist ein Kapitel, das zu manch tiefsinniger Reflexion Anlaß gegeben hat. Er selbst hatte früh ein Erlebnis, das er 1790 in seinem Tagebuch als verblüffendes »Bild« festgehalten hat. »*Wichtigster Abend meines Lebens;* denn ich empfand den Gedanken des Todes ... an jenem Abend drängte ich mich vor mein künftiges Sterbebette durch dreißig Jahre hindurch, sah mich mit der hängenden Totenhand, mit dem eingestürzten Krankengesicht, mit dem Marmorauge, ich hörte meine kämpfenden Phantasien in der letzten Nacht«, so heißt es dort. Tod und Sterben, das Gespenstische des Daseins und des Nichts, »Golgatha hinter Blumenbühl«: Scharfsichtige Germanisten wie Robert Minder oder Gerhart Baumann haben mit Akribie herauspräpariert, welch ungeheure Wirkung Jean Pauls poetische »Denk-Möglichkeiten« auf künftige Schriftsteller hatten: auf Marcel Proust und William Faulkner, auf Thomas Mann und Paul Valéry, auf Gottfried Benn und selbst auf die »Erfinder« des Nouveau roman.

Ganz in der Nähe Jean Pauls, links an der Hauptallee, haben Mitglieder der Familie Wagner und Freunde der Familie ihre letzte Ruhestätte gefunden.

❾ Grab von Siegfried Wagner, Winifred Wagner, Wieland und Gertrud Wagner

Unter den Ästen einer schönen hohen Eiche und von Rhododendron gesäumt, steht das Grabmal für Siegfried Wagner und seine Frau Winifred. Richard und Cosima Wagner liegen ja,

Siegfried und Winifred Wagner mit dem Erstgeborenen Wieland

Winifred, »la belle chauffeuse«

wie schon erwähnt (vgl. S. 37), in einer
eigens bewilligten Gruft im Garten der
Villa Wahnfried. Sohn Siegfried, der
Erbe, mußte sich mit einem Grab auf
dem Stadtfriedhof begnügen, das eine
Steinstele schmückt. Er starb am
4. August 1930, nur vier Monate nach
seiner Mutter Cosima, die ihm nach
einem Schlaganfall die Führung der
Festspiele erst inoffziell, 1908 dann in
aller Form übergeben hatte. Eine Auf-
gabe, der eine intensive musikalische
Ausbildung bei Engelbert Humperdinck und Felix Mottl, beachtliche
eigene Opernwerke (*Der Bärenhäuter*,
Herzog Wildfang, *Bruder Lustig*), Kon-
zertreisen und Regie- und Dirigier-
arbeiten in Bayreuth vorangegangen
waren. Es hatte Siegfried zwar zur
Architektur gezogen, doch auf einer
halbjährigen Ostasienreise im Jahr
1892 entschied er sich für die Musik
und damit für Bayreuth.
Erst 1915 heiratete er: Seine Schwe-
stern hatten ihm mehr als deutlich zu
verstehen gegeben, daß es allerhöchste
Zeit für ihn sei, der Familie den langer-

Wieland Wagner
mit seiner Frau Gertrud
bei der Probenarbeit

146

sehnten Erben zu schenken, um endlich die Dynastie zu sichern. So fuhr
der Mittvierziger zur Brautschau nach
Berlin, wo er im Hause des Wagner-
Freundes Klindworth dessen Adoptiv-
tochter Winifred (Senta) Williams
fand. Er heiratete sein »Winnichen«
noch im September 1915. Sie war 18,
er 46 Jahre alt. Nach dem »Thronfol-
ger« Wieland gingen mit Friedelind,
Wolfgang und Verena noch drei weitere Kinder aus der Verbindung hervor.
Die Dynastie war gerettet. Doch sollte
mit Siegfried Wagners Tod die Ausein-
andersetzung um die Macht auf dem
Grünen Hügel erst richtig beginnen.
Der Clan im Clinch – das wurde für
Jahrzehnte bis in unsere Tage zum
Leitmotiv. Winifred Wagner, »la belle
chauffeuse«, wie Siegfried sie wegen
ihrer flotten Fahrkünste nannte, aber
sicherte sich die Festspielleitung mit
bemerkenswerter Durchsetzungskraft
gegen alle Machtansprüche von innen
und außen. Und mit dem Berliner Generalintendanten Heinz Tietjen und
Wilhelm Furtwängler zur Seite sicherte sie dem Bayreuther Unternehmen
auch glänzendes künstlerisches Ni-
veau, bis sie – Freundin und Protegé
Hitlers – mit dem Sieg der Alliierten
über das NS-Regime die Stafette aus
der Hand geben mußte. Erst 1951
konnten ihre beiden Söhne Wieland
und Wolfgang die Festspiele wieder-
aufnehmen und Bayreuth neu positio-
nieren.
Auch Wieland Wagner liegt hier begraben, den man heute zu den großen
Regisseuren der zweiten Hälfte des 20.
Jahrhunderts zählen muß. Denn gemeinsam mit seinem Bruder Wolfgang

Anja Silja (re.), neben Friedelind Wagner,
am Grab Wieland Wagners

hat er für Bayreuth einen von allem
Dekorationsfieber und Illusionismus
befreiten Stil geschaffen, der Richard
Wagners Werk zu neuer Aktualität
und szenischer Modernität verhalf. In-
wieweit Wielands Frau Gertrud, die
hier neben ihm liegt, wirklich von
schöpferischem Einfluß war bei den
Neu-Bayreuther Aktionen, läßt sich
heute nur noch schwer ausmachen.
Für mehr Aufsehen sorgte seine Liai-
son mit der Sopranistin Anja Silja, die
für den Wagner-Regisseur Wieland
schon vom schlanken, knabenhaften
Typ und der durchschlagend metalle-
nen Stimme der Inbegriff einer modernen Wagner-Sängerin war: phänome-
nal in ihrer Bühnenpräsenz und der
Fähigkeit zu beunruhigender Identi-
fikation mit Wagners Frauenfiguren.
So wurde sie seine Senta (1960 bei ih-

rem skandalumwitterten Bayreuth-Debüt), seine Elsa, Elisabeth, Venus und Eva, außerhalb von Bayreuth zudem seine Isolde und Brünnhilde. Doch auch mit Strauss machten sie gemeinsam Furore. Für Wieland sei sie bereit gewesen, den Liebes- und Stimmtod zu sterben, hat die Silja erst jüngst in ihren Memoiren bekannt.

Graf Gilberto Gravina neben Daniela Thode, der Prinzessin von Italien, »Fafner« Emanuel List und Eva Chamberlain (von re. nach li.)

**❾ Grab von
Daniela Thode, geb. von Bülow**

Daniela Thode, auch »Lusch« oder »Loulou« genannt, war die erste Tochter aus Cosimas und Hans von Bülows Ehe. Nach der Trennung der Eltern lebte sie erst in Tribschen, dann von 1872 an mit der Familie Wagner in Bayreuth. Dort heiratete sie 1886 den Kunsthistoriker Henry Thode. 1914 ließ sie sich von ihm scheiden, zog wieder nach Wahnfried, wo es bald mit Siegfrieds junger Frau Winifred zu Konflikten kam. Daniela räumte schließlich widerwillig das Feld und

zog in die nahe Lisztstraße. Wie der Neffe Wolfgang in seinen Erinnerungen *Lebens-Akte* schreibt, hatte die Tante seine Mutter permanent mit Vorhaltungen gepeinigt, wie man sich in den heiligen Hallen von Wahnfried zu verhalten habe.»Hinzu kam die Tyrannei, daß sie meine Mutter unablässig zum vierhändigen Klavierspiel nötigte und sie damit in ihren verrannten Ehrgeiz einbezog, durch solche Unerbittlichkeit die pianistische Reife ihres Großvaters Franz Liszt zu erlangen.« Von 1911 bis 1930 war Daniela bei den Festspielen für das Kostümwesen zuständig, 1933 auch für die Regiearbeiten am *Parsifal*. Doch schaltete Winifred sie danach systematisch aus ihren Planungen und Entschlüssen aus, die deutlich auf eine Nachfolge ihres ältesten Sohnes Wieland zielten. Gegenüber Heinz Tietjen klagte die düpierte Daniela:»Wenn ich aus Ihrem Munde höre, daß Wieland zum ›Regieren‹ erzogen würde, so überfällt mich ein wahrer Schrecken. In Bayreuth ist nie ›regiert‹ worden, es ist nur in großer Demut *gedient* worden.« 19. und 20. Jahrhundert, so hat sie richtig erkannt, prallten hier unversöhnlich aufeinander.

Karl Klindworth mit Klara v. Tirpitz und seinem Adoptivkind Winifred Williams, 1914 in Bayreuth

Wagners Lebzeiten, in Bayreuth geheiratet. Der Sohn Gilberto,»Graf Gil« genannt, wurde in Bayreuth unter den Solorepetitoren der Festspiele aufgeführt. Er selbst bezeichnete sich als »Mädchen für alles«. Gravina war Flötist und Dirigent und hat früh in Wahnfried als Solist in Siegfried Wagners Konzertstück für Flöte brilliert. Er sprang auch als Dirigent für Siegfried ein, den er als Komponisten für unterschätzt hielt.

❿ Grab von Gilberto Graf Gravina
Gilberto Graf Gravina (1890–1972) war der zweite Sohn aus der Ehe Blandine von Bülows mit dem sizilianischen Conte Biagio Gravina. Die beiden hatten sich während Wagners Aufenthalt in Palermo kennengelernt und im August 1882, also noch zu

⓫ Grab von Karl Klindworth
In unmittelbarer Nähe zu Siegfried und Winifred Wagner liegen auch Karl Klindworth (1830–1916) und seine Frau Henriette begraben. Der berühmte Klavierpädagoge und Liszt-Schüler war der Familie Wagner auf zweifache Weise verbunden: zum einen als langjähriger Freund und erster

»Klavierauszügler« Richard Wagners. Zum anderen als Adoptivvater von Winifred Williams, die später Siegfrieds Frau werden sollte. Die Beziehung zu der verwaisten jungen Engländerin hatte sich über Klindworths englische Frau Henriette ergeben, eine entfernte Verwandte von Winifreds Eltern, die früh starben. Winifred kam 1907 nach Berlin, wohin Klindworth nach seinen Londoner und Moskauer Jahren übergesiedelt war, um unter der Mitwirkung Hans von Bülows erst eine Klavierschule zu eröffnen, dann einem Konservatorium vorzustehen. Auch als Dirigent der Berliner Philharmonischen Konzerte war er bekannt. Richard Wagner kannte er bereits aus seinen frühen Londoner Tagen. Noch in Bayreuth erinnerten sich die beiden an die gemeinsamen Treffen 1855 in der Manchester Street.

An dieser Stelle sei noch an zwei Gräber erinnert, die mittlerweile eingeebnet und damit als Gedenkstätten für immer verloren sind.

⑫ Ehemalige Gräber von Maria Anna Thekla Mozart und Oskar Panizza

Mozarts berühmtes »Bäsle« Maria Anna Thekla Mozart hat von 1814 bis zu ihrem Tod 1841 in Bayreuth gelebt, und zwar in der Alten Postei in der Friedrichstraße 15, an der Nordseite des Jean-Paul-Platzes. Maria Anna Thekla ging in die Musikgeschichte ein als Adressatin jener berüchtigten »Bäsle-Briefe«, die mit ihrem derben Vokabular und ihren Anstößigkeiten die deftige Begleitmusik gaben zur Affäre des 21jährigen Mozart mit der zwei Jahre jüngeren Augsburger Kusine. Und in ihrer respektlosen Frivolität haben sie denn auch manchem Mozart-Biographen schwer zu schaffen gemacht, da sie so offensichtlich das appollinisch-reine Bild des Komponisten zu trüben schienen. Und doch – auch sie sind reiner Mozart, reine Mozartsche Wortmusik, die beim Lesen wie eine scharfe Kadenz aufklingt: »… wenn sie mir also wolln antworten, aus der stadt Augsburg dorten, so schreiben sie mir baldt, damit ich den Brief erhalt, sonst wenn ich etwa schon bin weck, bekomme ich statt einen brief einen dreck. dreck! – dreck! – o dreck! … o süsses wort! – dreck! – schmeck! – auch schön! – dreck, schmeck! – dreck! – leck …« und so fort.

Dem »Bäsle« war Mozart 1777 in Augsburg begegnet, der zweiten Station seiner Pariser Reise. Maria Anna Thekla galt als liebenswert leichtfertige Person, lockerem Lebenswandel jedenfalls nicht abgeneigt. Sie starb hochbetagt. Ihr Grab auf dem Stadtfriedhof, das frühere Chronisten gern als Sehenswürdigkeit anführten, sucht man – wie das des Schriftstellers Oskar Panizza – heute leider vergebens.

Panizza (1853–1921) war durch sein satirisches Papst-Drama *Das Liebeskonzil* (1894) bekannt geworden, das ihm Prozeß und Gefängnishaft einbrachte. Nach mehreren gescheiterten Selbstmordversuchen wurde er in die Irrenanstalt Sankt Gilgenberg in Donndorf, dann 1908 in die Nervenheilanstalt Herzoghöhe eingeliefert.

Er starb in geistiger Umnachtung.
Wir verlassen den Friedhof wieder durch den Eingang an der Carl-Burger-Straße, gehen die Straße ein wenig hoch, biegen vor der Brücke rechts ab und spazieren gemütlich am Ufer des Mistelbachs entlang bis zur Kulmbacher Straße. Hier halten wir uns links und folgen der Kulmbacher Straße bergan bis zur Maisel-Brauerei mit ihrem Bier-Museum (Anmeldungen über 0921/40 12 34).

⓭ Maisel-Brauerei
Kulmbacher Straße 40
Die einzige Kultur, die die Bayreuther lieben, sei die Bierkultur, sagen böse Zungen. Tatsächlich hat die Kunst des Bierbrauens in Bayreuth eine lange Tradition und einen glänzenden Ruf.

Als beredten Zeugen dafür ruft man nicht ohne Grund Jean Paul an, der das Bayreuther Bier denn auch überschwenglich als seinen »Herbst-Trost«, seinen »Magen-Balsam« und seine »vorletzte Ölung« pries. »Himmel, wie werd' ich trinken, und doch mäßig ...«, schrieb er noch kurz vor der Ankunft in seiner neuen Wahlheimat Bayreuth, dessen Braunbier er offenbar besonders liebte. »Ich wollte, mir würde von der ehrsamen Bierbräumeisterei ein Deputatus mit einem Schleifkännchen entgegengeschickt auf halbem Weg, um mich zu empfangen, so lechz' ich ...« Schon nach Coburg hatte er sich regelmäßig von seinem Bayreuther Freund Emanuel Osmund die Fäßchen senden lassen, war er doch fest von der stärkenden Kraft des Bieres überzeugt. »Es nährt, stärkt mir die Nerven und macht mich heiter.«
Wohltuende Wirkung versprach sich auch Richard Wagner vom Bier. Sein Bayreuther Arzt jedenfalls gestand ihm das Gebräu quasi als Medizin zu. So stapfte der Meister reinen Gewissens zu Angermann. Sein Kommentar: »Ein hiesiger Arzt wird nie ein Bad verordnen und Bier verbieten, die Wirkung des erstern kennt er nicht, und das zweite mag er zu gerne.«
Wie ernst man es in Bayreuth mit der Bierbrauerei nahm, zeigt die Geschichte der Kommunbrauhäuser, in denen jeder brauberechtigte Bayreuther unter fachmännischer Anleitung sein Bier selbst brauen konnte. Das früheste Kommunbrauhaus ist für 1430

Das Museum der Maisel-Brauerei

belegt. Es stand auf dem Marktplatz, direkt neben dem Galgen. Zur »vorletzten Ölung« – siehe Jean Paul.

Unter Bayreuths frühen privaten Brauereien ist die seit 1886 bestehende Maisel-Brauerei (renommierteste Marke ist »Maisel's Weiße«) zwar nicht die älteste, aber dennoch ging sie ins Guinness-Buch der Rekorde ein. Denn das Stammhaus an der Kulmbacher Straße, ein charaktervoller Backsteinbau der Gründerzeit, beherbergt heute das umfangreichste Bierbrauerei-Museum der Welt. Auf 2400 Quadratmetern wird man hier in die Geheimnisse der Bierbrauerei- und Büttnerei-Kunst eingeführt. Besonderes Highlight: das Sudhaus aus dem Jahr 1887 mit der feuerbeheizten Malzdarre, der Sudpfanne und dem hölzernen Gärbottich. Beeindruckend auch die alten Kupferbottiche, die Dampfmaschinen und die Büttnereiwerkstatt.

Von der Maisel-Brauerei führt uns der Weg zurück über die Kulmbacher Straße, das Kreuz, von dem aus wir links in die Neunundneunzig Gärten abbiegen und über die Carl-Burger-Straße wieder zum Stadtfriedhof gelangen.

**Ruinen-Theater
Sanspareil**

Erster Ausflug
Schloß Fantaisie, Felsengarten
Sanspareil, Waldhütte,
Schloß Neudrossenfeld

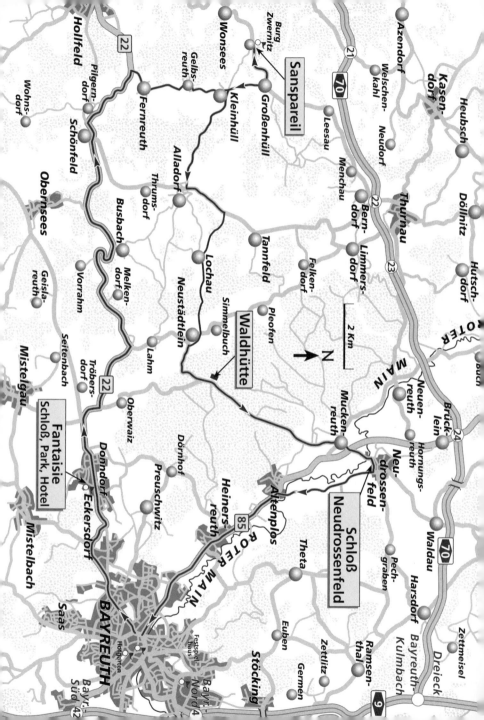

Dieser erste Ausflug führt uns in die westliche und nördliche Umgebung Bayreuths, wo wir, den Spuren Wagners, Jean Pauls und Markgräfin Wilhelmines folgend, Schloß und Park Fantaisie in Donndorf, Wilhelmines Felsengarten Sanspareil mit seinem Natur-Theater, das alte Königliche Forsthaus Waldhütte und Schloß Neudrossenfeld besuchen wollen. Es ist eine Tour mit den reizvollsten historischen, literarischen und architektonischen Impressionen in einer heiteren, offenen Landschaft. Vom Bayreuther Zentrum aus fährt man westlich zur Stadt hinaus auf der B 22 Richtung Eckersdorf bis zum Ortskern von Donndorf. Zur Linken liegen Park und Schloß Fantaisie sowie das Hotel Fantaisie, Wagners Domizil in seiner ersten Bayreuther Zeit.

Schloß, Park und Hotel Fantaisie

Mit seinem siebten Sinn für herrschaftlich gelegene Wohnsitze in landschaftlich prächtiger Lage hatte Wagner für seine ersten Bayreuther Monate das Hotel Fantaisie in unmittelbarer Nähe von Schloß und Park Fantaisie als Sommeraufenthalt gewählt. Nach dem Tribschner Idyll am Vierwaldstättersee ein weiterer Glücksfall. Richard Wagner denn auch:»Wenn man es sich herzaubern wollte, könnte man es nicht schöner schaffen.« Am 1. Mai 1872, zwei Tage nach der Ankunft, heißt es bei Cosima:»R. steht früh auf, um den Kindern den herrlichen Park zu zeigen. Pfauen erfüllen die Luft mit ihrem wilden Ruf, den wir so lieben, R. sagt:›Es ist mir immer, als hörte ich

sanskritische Worte.‹ Ein Truthahn, ›gewiß der Prototyp der Segelschiffe‹, macht uns viel Freude …«Und immer neue Begeisterung, wenn man sich am »Sappho-Sofa« trifft, einer steinernen Bank im Park.»Rosen, Akazien, Jasmin, alles blüht und duftet, dazu der Tannenwald, wie leicht vergißt es sich dann, in welch böser Welt wir leben.« Das Hotel, in dem der Komponist mit seiner Familie vom 1. Mai bis zum 24. September 1872 residierte, existiert noch heute mit seiner schmucken Veranda, die den Blick freigibt auf die Kirche von Eckersdorf. Eine Inschrift auf dem ochsenblutrot getünchten Haus verweist denn auch auf Wagners Donndorfer Aufenthalt, der ihm auch die denkwürdige Bekanntschaft mit »Stirb-Stirb« bescherte, dem Bauernkutscher, der mit einem malerischen Bauernhut aus der Dürerschen Zeit auf dem Schädel und eilig übergestreiften weißen Handschuhen die Wagners in die Stadt zu kutschieren pflegte. »Stirb-Stirb« hieß der Mann, weil er jeden Abend betrunken sang:»Wenn ich stirb, stirb, stirb, dann soll'n sechs Jungfrauen mich begraben.« So notierte es Cosima.

Ob sich der schöne Überschwang der sommerlichen Fantaisie-Wochen bei Wagner aus Jean Pauls dichterischen Abenteuern speiste, die dieser – lange vor seiner eigentlichen Bayreuther Zeit – im *Siebenkäs* seinem Helden Firmian auf den Leib schrieb, als er ihn nächtens im Park von Fantaisie, diesem »Lust- und Rosen- und Blütental, eine halbe Meile von Bayreuth«, zwischen steinernen Göttinnen und Wasserpferden auf eine schwarz gekleide-

Schloß Fantaisie in Donndorf. Lithographie von Georg Könitzer

te, verschleierte Schöne stoßen ließ? Wagner jedenfalls kannte den berühmten Roman mit seinen schwärmerischen Episoden im Schloßpark von Fantaisie, die man Satz für Satz nachlesen kann und muß, um das beflügelnde Geheimnis der Jean Paulschen Phantasie und Prosa ganz zu ermessen.

Der Weg von der hohen Schloßterrasse steil hinab ins lichte Tal mit seinen umblühten Rasenflächen, dem schimmernden See und den dunklen Waldhängen läßt jedenfalls erahnen, wie Jean Pauls Seele hier poetische Funken schlug. Auch seinen Luftschiffer Giannozzo, den komischen Helden seines *Titan*-Anhangs, ließ er just hier selig landen: »Um 12 Uhr sank ich in Fantaisie bei Baireuth zum Essen nieder. Blühendes, tönendes, schattendes Tal! – Wiege der Frühlingsträume! Geisterinsel des Mondlichts! Und deine El-

tern, die Berge, die in dich hereinblikken …«

Heute hat in dem 1762–65 von Markgräfin Wilhelmines Tochter Elisabeth Friederike Sophie erbauten und zu Wagners Zeiten von Herzog Alexander von Württemberg als Sommersitz genutzten Schloß Fantaisie Deutschlands erstes Gartenkunstmuseum seinen Platz, das die Entwicklung der europäischen Gartenkultur vom Mittelalter bis zur Gegenwart mit enzyklopädischem Anspruch nachzuzeichnen sucht. Groß gedacht, präsentiert es sich allerdings nicht ganz so attraktiv, wie es sich bei dem Reichtum an historisch außergewöhnlichen Garten- und Parkanlagen in und um Bayreuth anböte.

Felsengarten Sanspareil

Also bricht man nach dem Spaziergang durch den Park – der B 22 folgend bis zum rechten Abzweig nach Fernreuth und weiter bis Großenhül – am besten nach Sanspareil auf, zu Markgräfin Wilhelmines wundersamem Felsengarten, in dem – wie der Name »Sanspareil« (zu deutsch: Ohnegleichen) verspricht – Natur und Kunst eine noch einzigartigere Symbiose eingegangen sind als in Fantaisie. So originell, wie es eben nur dieser ebenso gefühlvollen wie willensstarken Preußenprinzessin und ihren Baumeistern einfallen konnte.

Sanspareil liegt am Fuße der alten Hohenzollernburg Zwernitz. Das kleine lichtdurchflutete Schlößchen, der sogenannte Morgenländische Bau, den Wilhelmine hier 1745 am Rande des stillen, auf rund 700 Meter langem Terrain sich erstreckenden Buchen- und Felsenhains errichten ließ, war ähnlich wie die Eremitage als sommerlicher Fluchtort des Fürstenpaars gedacht. Die Unterschiede zur Bayreuther Eremitage waren augenfällig. Wilhelmine selbst hat es auf den Punkt gebracht, als sie ihrem Bruder, Friedrich dem Großen, 1749 schrieb: »Die Natur selbst war die Baumeisterin.«

In der Tat: Die phantastischen Felsformationen, die die Zeit grotesk verschliffen, verkantet und ausgehöhlt hat, sind sozusagen die Hauptdarsteller dieser von riesigen Baumschatten verhangenen Szenerie, durch die man wie durch einen Märchen- und Mythenwald stapft. Sirenen- und Kalypso-Grotte, Pan-Sitz und Vulkanshöhle heißen die fabulösen Felsformationen, die noch durch sogenannte Staffagebauten in chinesischem Stil gekrönt waren. Primär aber bezog die Traum-

Sanspareil, Belvedere. Kupferstich von Johannes Thomas Köppel, 1748

Ruinen-Theater Sanspareil. Kupferstich von Johannes Thomas Köppel, 1748

Felskulisse ihr Programm aus der griechischen Antike und von Homer.

So geistert Telemach, der Sohn des Odysseus, durch die Felsenwelt von Sanspareil und hakt hier mitten auf der Fränkischen Alb seine mythischen Abenteuer ab. »Hier half die gütige Natur .../ Sophiens Forschen auf die Spur / Die weise Fürstinn fand den Wald / Im Kleinen ebenso gestalt / Wie Telemachs und Mentors Reisen«, besang denn auch der Wonseeser Pfarrer Hedenus 1748 Wilhelmines »Telemachie«. Schon in ihren Berliner Jugendtagen hatte Wilhelmine gemeinsam mit Bruder Friedrich die Irrfahrten Telemachs in Fénelons Darstellung gelesen.

Die meisten Staffagebauten sind inzwischen verfallen. Das Felsen- und Grottentheater freilich mit seinen Sa-

tyrfiguren an den Pfeilern und den gespenstisch blicklosen Masken im Bogenrund hat sich erhalten – ein düster verwunschener Ort inmitten dieses feuchtbemoosten Felsenhains, der durch die nahe Kalypso-Grotte noch zusätzliche Wucht erhält. Wie das Römische Ruinen-Theater in der Bayreuther Eremitage (vgl. S. 133) schreibt man diese eigenwillige Kreation Wilhelmines Hofarchitekten Joseph Saint-Pierre zu, der auch den Morgenländischen Bau von Sanspareil entwarf. Die einstigen, deutlich von islamischer Architektur inspirierten Kuppeldächer sind allerdings längst eliminiert. Doch mit seinen grob behauenen Mauern und dem schönen, von feinem Stuck verzierten Interieur seines Festsaals ist dieses Sommerschlößchen Wilhelmines weit mehr als eine nur charmante Sehenswürdigkeit. Wer nicht gleich über Hollfeld nach Bayreuth zurückfahren will, kann einen hübschen Rückweg über die Waldhütte nehmen, ein populäres Ausflugslokal, das auch Wagner stets mit besonderem Vergnügen angesteuert hat. Man erreicht das romantisch mitten im Wald gelegene alte Forsthaus von Sanspareil aus über eine zwar nicht durchgehend geteerte, aber gut befahrbare Straße, die von Kleinhül über Alladorf und Lochau nach Neustädtlein und von dort aus in den Forst von Neustädtlein führt.

Waldhütte

»Heiterste, herrliche Stimmung«, konstatierte Cosima denn auch bei den Familienausflügen zur Waldhütte, »Freude an den Kindern, an der Gegend, an der Bevölkerung (ein Mann bietet den Kindern seinen Krug Bier an), an dem Wald. Rast auf dem Felsen beim Ruf des Kuckuck.« Nur Wagners Herzmalaisen trübten die Lust.

Auch zum schönen Schloß Neudrossenfeld fuhr Richard mit Cosima und den Kindern bei seinen Spritztouren in die Umgebung von Bayreuth. Von der Waldhütte erreicht man es, der Forststraße folgend, über das Örtchen Muckenreuth.

Schloß Neudrossenfeld

Das Schloß, wohl von Joseph Saint-Pierre und Carl von Gontard in seine jetzige zweiflügelige Gestalt gebracht, gehörte einst Markgraf Friedrichs mächtigem Staatsminister Philipp An-

dreas Ellrodt (vgl. S. 108). Er erweiterte den Bau, in dem sich heute ein Restaurant befindet, durch zwei im französischen Stil gehaltene Seitenflügel und einen barocken Terrassengarten mit Balustraden und Statuenschmuck. Von der schattigen alten Lindenterrasse hat man einen bezaubernden Blick hinunter in die grüne Rotmain-Aue. Ein Geheimtip, dessen Reize offenbar schon der kleine »Fidi«, Wagners umhegtes Söhnchen, zu schätzen wußte. In Cosimas Tagebuchnotizen heißt es jedenfalls: »Hübsche Fahrt mit den Kindern nach Drossenfeld am Main. Fidi wünscht sich auf der Wiese einen Salon und eine Schlafstube.« Als habe der Knirps es in Villa Wahnfried nicht gut gehabt.

Von Neudrossenfeld fahren wir in südlicher Richtung nach Altenplos und von dort auf der B 85 nach Bayreuth zurück.

Als Vorhof des Himmels schon von
Jean Paul gepriesen: Bad Berneck.
Aquarellierte Vorlage für einen
Kupferstich aus dem Jahr 1794

Zweiter Ausflug
Oberwarmensteinach, Wunsiedel, Luisenburg, Ochsenkopf, Bad Berneck

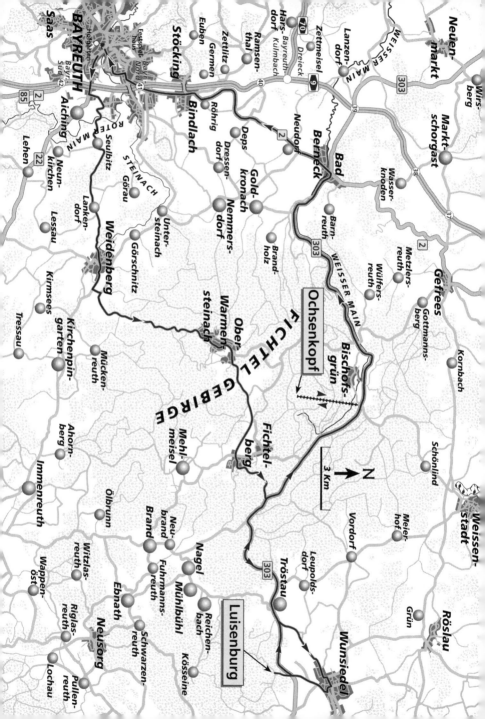

*Unser zweiter Ausflug geht ins Fichtelge-
birge mit Jean Pauls Geburtsstadt Wunsiedel und der Luisenburg als Ziel. Er
führt uns östlich aus der Stadt heraus
über Weidenberg nach Oberwarmensteinach, wo Winifred Wagner Ende des
Zweiten Weltkriegs Zuflucht suchte,
über Fichtelberg zur B 303, auf der
wir Wunsiedel erreichen. Den Rückweg
nach Bayreuth nehmen wir über Bad
Berneck, das die Romantiker Tieck
und Wackenroder auf ihrem Pfingstritt
durch Franken bereits bewunderten, das
Jean Paul in seinem »Siebenkäs« so
schön verewigt hat und das auch Wagner
mit Vergnügen besuchte.*

Oberwarmensteinach
Im Fichtelgebirge lagen Jean Pauls
Wurzeln, hier öffneten sich seine See-
len- und Traumlandschaften. Doch
auch für Wagner, der mit Bayreuth
sein unstetes Leben auf ein sicheres
Fundament setzte, brachten Spazierfahrten in die urweltlich aufsteigende
Gebirgswelt, die schon für Goethe ein
Faszinosum war, willkommene Er-
bauung und Abwechslung. »Unser
Franken bis in die kleinste Ecke kennenzulernen und den Kindern die Liebe für das Nahe, ihnen Angehörige
(zu) erwecken«, war ihm und Cosima
oberstes Gebot, wenn bei vielverspre-
chendem Wetter ein Familienausflug
nach Bad Berneck angesagt war.
In den Endwirren des Zweiten Weltkriegs fand ein Teil der Familie Wagner sogar im Fichtelgebirge Zuflucht:
Winifred Wagner hatte in Oberwarmensteinach gemeinsam mit Sohn
Wolfgang und dessen Frau Quartier

bezogen. In einem Haus hoch am
Hang, direkt am Wald. Noch heute
lassen sich vor allem Amerikaner während der Festspielzeit mit dem Hotel-
bus hinauf zu diesem Haus Hubertus
(Oberwarmensteinach Nr. 32) fahren,
um den jetzigen Besitzer mit der Bitte
anzugehen: »*Show me the place, where
Winifred took the baby!*« Denn Großmutter Winifred soll, als die amerika-
nischen GIs in den letzten Kriegstagen
bis tief ins Fichtelgebirge vordrangen,
mit ihrer fünf Tage alten Enkelin Eva
auf den Armen schnurstracks vor den
siegreichen Amerikanern in den Wald
geflüchtet sein. So jedenfalls erzählt
man sich's in Oberwarmensteinach.

Wunsiedel
Über Fichtelberg fahren wir nach Wunsiedel, zum Geburtsort Jean Pauls, den
der Dichter in seiner leider fragmenta-
rischen *Selberlebensbeschreibung* mit
einem milden Glorienschein überzog.
Sein Vater war hier Lehrer, Organist
und Prediger gewesen mit offensichtlich großen rhetorischen Gaben, ein
Theologe, Musiker und beliebter Kir-
chenkomponist, der in Regensburg in
der Kapelle des damaligen Fürsten von
Thurn und Taxis gewirkt hatte. Ein
strenger Geistlicher, den der Sohn später aber auch als anmutigen Gesell-
schafter und Mann des liebenswerten
Scherzes pries. Und obwohl der Vater
samt der Familie Wunsiedel bereits
1765 wieder verließ, um eine Pfarrstel-
le in Joditz anzunehmen, hat Jean Paul
der Stadt zeitlebens seine Zuneigung
bewahrt. »Ich bin gerne in dir geboren, Städtchen am langen, hohen Ge-

birge, dessen Gipfel wie Adlerhäupter zu uns niedersehen!« Die Adlerhäupter des dunkel aufblauenden Gebirgs – sie haben Jean Pauls Leben und Werk ohne Zweifel geprägt. Doch waren es die Adlerschwingen der Poesie, die den armen Predigersohn aus Franken in seinem Ruhm zeitweise zum meistgelesenen Schriftsteller Deutschlands machten.

Man muß sich das vor Augen halten, wenn man in Wunsiedel die proper gehüteten Jean-Paul-Orte aufsucht, die an den einst so populären Sohn der Stadt erinnern: das Geburtshaus mit der Gedenktafel hinter der Pfarrkirche St. Veit, das Jean-Paul-Denkmal, das derselbe Ludwig Schwanthaler entwarf, dem wir das Bayreuther Jean-Paul-Denkmal verdanken, das Jean-Paul-Zimmer in den schönen mittelalterli-

chen Sälen des einstigen Hospitals, in dem das Fichtelgebirgsmuseum seine mineralogischen, kunst- und kulturgeschichtlichen Schätze zeigt (samt den Erinnerungen an den hier ebenfalls geborenen Kotzebue-Mörder Carl Sand), sowie den Jean-Paul-Felsen auf der nahegelegenen Luisenburg, die sich mit ihren gewaltigen Granitbrocken zu Recht als einmalige Natur-Erscheinung präsentiert.

Luisenburg

Das Felsenlabyrinth der Luisenburg, die nur wenige Kilometer von Wunsiedel auf der gegenüberliegenden Seite der B 303 liegt, ist eine mehr als bizarre Welt, über die sich schon Goethe, die Romantiker und andere bedeutende Reisende bewegt ausgelassen ha-

Jean Pauls Geburtshaus in Wunsiedel

ben. »Die ungeheure Größe der ohne Ordnung, Spur und Richtung übereinandergestürzten Granitmassen gibt einen Anblick, dessengleichen mir auf allen meinen Wegen niemals wieder vorgekommen ist«, so rühmte es Goethe, der das wilde Felsareal noch mit 71 Jahren »mühsam durchkrochen« hatte, um dieser »staunenswürdigen Erscheinung« auf den Grund zu gehen. Und seine Diagnose hielt stand: Nicht durch vulkanische Auswürfe, sondern durch Verwitterung entstand das Fels-Environment.

Am Eingang zur Luisenburg liegt die große Naturbühne, auf der sommers Festspiele stattfinden. Einst war hier in den Felsenschluchten auch Jean Pauls *Wechsel-Gesang der Oreaden und Najaden auf der Luxburg* zu hören, ein kleines Festspiel zu Ehren von Preußens König Friedrich Wilhelm III. und Königin Luise, die 1805 mit Riesengefolge zur Kur im nahen Alexandersbad weilte. Jean Paul war anwesend bei dieser Preußengala auf Granit.

Ochsenkopf

Und als echter Sohn des Fichtelgebirges war Jean Paul natürlich auch auf dem Ochsenkopf, den wir, von der Luisenburg auf die B 303 zurückkehrend, von Bischofsgrün aus gut erreichen. Wer nicht per pedes auf den Ochsenkopf hinaufsteigen will, kann mit einem Lift von der Talstation kurz vor Bischofsgrün aufs Gipfelplateau gelangen, wo ihn ein Berghaus empfängt, an dessen Wand die Namen der wichtigsten Ochsenkopf-»Bezwinger« früherer Jahrhunderte aufgelistet sind.

Ein Granitblock auf dem Ochsenkopf, der Goethe so in die Augen sprang, daß er ihn auf einer aquarellierten Zeichnung festhielt.

Inmitten des grotesk getürmten Granitgesteins hat Goethe, der bereits 1785 auf seiner Reise nach Karlsbad eine Tagestour zum Ochsenkopf eingeschoben hatte, eine Skizze von einem der besonders malerisch geformten Felsen gemacht. Auch ein entsprechendes Aquarell existiert von seiner Hand. Man hat den Felsen mittlerweile identifiziert und natürlich prompt zum Goethe-Felsen ausgerufen. Goethe selbst schrieb in seiner Untersuchung *Über den Granit*: »Hier ruhst du unmittelbar auf einem Grunde, der bis zu den tiefsten Orten der Erde reicht, keine neuere Schicht, keine aufgehäuften, zusammengeschwemmten Trümmer haben sich zwischen dich und den festen Boden der Urwelt gelegt. Diese Gipfel haben nichts Lebendiges erzeugt und nichts Lebendiges verschlungen, sie sind vor allem Leben und über alles Leben.«

Zurück von den Höhen des Ochsenkopfes führt der Weg über Bischofsgrün nach Bad Berneck, das, am Südwestabhang des Fichtelgebirgs gelegen, von sieben Bergen markant umschlossen ist.

Bad Berneck

Schon Markgräfin Wilhelmine war 1734 hier, um ihren Bruder Friedrich, damals noch preußischer Kronprinz und auf dem Weg zum Rhein-Feldzug, heimlich zu treffen. Ein furchtbares Gewitter ging damals über Berneck nieder mit Regengüssen, die alle Wege unpassierbar machten. Als sollte die Welt untergehen, so finster hallte der Donner von den Bergen wider, erinnert sich Wilhelmine in ihren *Memoiren* an den Tag, an dem das Geschwisterpaar durch ein Mißverständnis erst Stunden später in St. Georgen zärtliches Wiedersehen feiern konnte. Für Wagner freilich war Berneck voll glücklicher Symbolkraft für sein Leben. Cosima hat es 1873 im Tagebuch festgehalten, daß Richard sich bei einer Tour entsann, wie er, von Berneck kommend, Bayreuth zum erstenmal in der Abendsonne habe liegen sehen. »Gott, daß ich diesen Weg nun wiederkomme, und mit dir und Fidi!« habe er ausgerufen – dabei Werk, Frau, Familie und Festspielhaus fest im Blick. Im literarischen Kosmos Jean Pauls sind in Berneck dagegen eher Zeit und Natur die bezwingende Deutungsmacht. Zeit und Natur, die »groß und allmächtig nebeneinander auf den Grenzen ihrer zwei Reiche« ruhten »zwischen steilen, hohen Gedächtnissäulen der Schöpfung«, wie er im *Siebenkäs* schrieb. Muß man da noch erwähnen, daß auch Hitler Bad Berneck höchst anzie-

hend fand? Er pflegte im dortigen Hotel Bube zu nächtigen, das der Stadt – die Geschichte liebt solche ironischen Kleckse selbst auf schwärzestem Grund – später als Asylantenheim diente. Und noch etwas: Eichendorff soll, so will es jedenfalls die lokale Fama, in Berneck sein unsterbliches *Wer hat dich, du schöner Wald ...* gedichtet haben. Auch August Graf von Platen schuf hier Epigramme, die er in die zweite Sammlung seiner *Gedichte* aufnahm. Und der Frühromantiker Ludwig Tieck gewann hier Inspirationen zu seinem Künstlerroman *Franz Sternbalds Wanderungen*.

So viel Kreativität stimmt heiter für die Rückfahrt nach Bayreuth (über die B2), bei der man – mit etwas Glück – wie der junge Kapellmeister Wagner von der Bindlacher Höhe hinab die alte Residenzstadt in der Abendröte vor sich liegen sehen kann. So schließt sich der Kreis.

Literaturverzeichnis

Adorno, Theodor W.: Versuch über Wagner. Berlin/Frankfurt 1952

Barth, Herbert (Hg.): Der Festspielhügel. Richard Wagners Werk in Bayreuth. München 1976

Baumann, Gerhart: Jean Paul. Göttingen 1967

Bayreuth. Mosaik einer Kulturstadt. Bayreuth 1972

Bayreuth. Umgeguckt und hinterfragt. Bayreuth 1992

Beidler, Franz Wilhelm: Cosima Wagner-Liszt. Der Weg zum Wagner-Mythos. Hg. v. Dieter Borchmeyer. Bielefeld 1997

Berend, Eduard: Jean Pauls Persönlichkeit in Berichten der Zeitgenossen. Weimar 1956

Borchmeyer, Dieter: Das Theater Richard Wagners. Stuttgart 1982

Borchmeyer, Dieter/Salaquarda, Jörg (Hg.): Nietzsche und Wagner. Stationen einer epochalen Begegnung. 2 Bde. Frankfurt a. M./Leipzig 1994

Bronnenmeyer, Walter: Richard Wagner – Bürger in Bayreuth. Bayreuth 1983

Bruyn, Günter de: Das Leben des Jean Paul Friedrich Richter. Halle 1975

Eger, Manfred: Der Briefwechsel Richard und Cosima Wagner. Programmheft IV der Bayreuther Festspiele. Bayreuth 1979

Eger, Manfred: Wagner und die Juden. Fakten und Hintergründe. Bayreuth 1985

Eger, Manfred: Nietzsches Bayreuther Passion. Freiburg i. Br. 2001

Fick, Astrid: Potsdam Berlin Bayreuth. Carl von Gontard. Petersberg 2000

Fischer, Jens Malte: Richard Wagners »Das Judentum in der Musik«. Frankfurt a. M. 2000

Focht, Josef: Die musische Aura der Markgräfin Wilhelmine. Passau 1998

Fricke, Richard: Bayreuth vor dreißig Jahren. Dresden 1906

Friedländer, Saul/Rüsen, Jörn (Hg.): Richard Wagner im Dritten Reich. München 2000

Friedrich der Große und Wilhelmine von Baireuth, Briefwechsel. Bd. I u. II. Leipzig 1924 u. 1926

Friedrich Nietzsche. Chronik in Bildern und Texten. Im Auftrag der Stiftung Weimarer Klassik zusammengestellt v. Raymond J. Benders u. Stephan Oettermann. München/Wien 2000

Friedrich, Sven: Das Theater Siegfried Wagners. Bayreuth 1994

Friedrich, Sven: Erlösung durch Liebe. Richard Wagner und die Erotik. Bayreuth 1995

Geissmar, Berta: Mit Taktstock und Schaftstiefel. Erinnerungen an Wilhelm Furtwängler. Köln 1996

Glasenapp, Carl Friedrich: Das Leben Richard Wagners. 6 Bde. Leipzig 1905–1912

Goléa, Antoine: Gespräche mit Wieland Wagner. Salzburg 1968

Gregor-Dellin, Martin: Richard Wagner. München/Zürich 1980

Gregor-Dellin, Martin/Soden, Michael (Hg.): Richard Wagner. Hermes Handlexikon. Düsseldorf 1983

Habel, Heinrich: Festspielhaus und Wahnfried. München 1985

Habermann, Sylvia: Der Auftritt des Publikums. Bayreuth 1991/1992

Habermann, Sylvia: Die Gründung der Fayencemanufaktur in St. Georgen. Bayreuth 1996

Habermann, Sylvia: Bayreuther Gartenkunst. Worms 1982

Hartford, Robert: Bayreuth. The Early Years. London 1980

Hausser, Philipp: Jean Paul und Bayreuth. Bayreuth 1969

Hausser, Philipp: Die Geschichte eines Hauses. Jean-Paul-Haus in Bayreuth. Bayreuth 1963

Hegen, Irene: Neue Materialien zur Bayreuther Hofmusik. Bayreuth 1998

Herterich, Kurt: Im historischen Bayreuth. Bayreuth 1998

Humperdinck, Engelbert: Parsifal-Skizzen. Hg. v. Eva Humperdinck. Koblenz 2000

Jean Paul: Sämtliche Werke. Hg. v. Norbert Miller. 6 Bde. München 1963

Karbaum, Michael: Studien zur Geschichte der Bayreuther Festspiele. Regensburg 1976

Koeppen, Wolfgang: Proportionen der Melancholie. Drei fränkische Stadtbilder. Kleine Fränkische Bibliothek 4. Frankfurt a. M. 1997

Kraft, Zdenko von: Der Sohn. Siegfried Wagners Leben und Umwelt. Graz/Stuttgart 1969

Krückmann, Peter O.: Paradies des Rokoko I. Das Bayreuth der Markgräfin Wilhelmine. München/New York 1998

Krückmann, Peter O. (Hg.): Paradies des Rokoko II. Galli Bibiena und der Musenhof der Wilhelmine von Bayreuth. München/New York 1998

Kuby, Erich: Richard Wagner & Co. Hamburg 1963
Liszt, Franz – Richard Wagner. Briefwechsel. Hg. v. Hanjo Kesting. Frankfurt a.M. 1988
Mack, Dietrich: Bayreuther Festspiele. Bayreuth 1974
Mack, Dietrich: Der Bayreuther Inszenierungsstil. München 1976
Mann, Thomas: Wagner und unsere Zeit. Aufsätze, Betrachtungen, Briefe. Frankfurt 1963
Marcuse, Ludwig: Das denkwürdige Leben des Richard Wagner. München 1963
Matthes, Wilhelm: Was geschah in Bayreuth von Cosima bis Wieland Wagner? Augsburg 1996
Mayer, Bernd: Bayreuth wie es war. Bayreuth 1981
Mayer, Bernd: Bayreuth. Die letzten 50 Jahre. Bayreuth 1983
Mayer, Bernd/Rückel, Gert: Von einem Paradies durch das andere. Auf den Spuren berühmter Wanderer im Landkreis Bayreuth. Bayreuth 1997
Mayer, Hans: Richard Wagner in Bayreuth 1876–1976. Stuttgart 1976
Mayer, Hans: Richard Wagner. 2. Auflage. Frankfurt a.M. 1998
Merten, Klaus: Der Bayreuther Hofarchitekt Josef Saint-Pierre. Archiv für die Geschichte in Oberfranken. Bd. 44 (1964)
Minder, Robert: Dichter in der Gesellschaft. Frankfurt 1966
Mödl, Martha: So war mein Weg. Gespräche mit Thomas Voigt. Berlin 1998
Müller, Ulrich/Wapnewski, Peter (Hg.): Richard-Wagner-Handbuch. Stuttgart 1986
Müller, Wilhelm: Adolph Menzel in Bayreuth. Archiv für die Geschichte Oberfrankens. Bd. 54 (1974)
Müssel, Karl: Bayreuth in acht Jahrhunderten. Bindlach 1993
Nietzsche, Friedrich: Sämtliche Werke. 15 Bde. Hg. v. Giorgio Colli u. Mazzino Montinari. München 1981
Nietzsche, Friedrich: Richard Wagner in Bayreuth. Der Fall Wagner. Nietzsche contra Wagner. Hg. v. Martin Gregor-Dellin. Stuttgart 1973
Panofsky, Walter: Wieland Wagner. Bremen 1964
Pachl, Peter: Siegfried Wagner. Genie im Schatten. München 1988

Piontek, Frank/Schulz, Joachim (Hg.): Bayreuth. Ein literarisches Porträt. Frankfurt a.M. 1996
Puttkamer, Albert von: 50 Jahre Bayreuth. Berlin 1927
Rabenstein, Christoph/Werner, Ronald: St. Georgen. Bilder und Geschichten. Bayreuth 1994
Rückel, Gert: Literarischer Spaziergang durch Bayreuth. Bayreuth 1982
Rützow, Sophie: Richard Wagner und Bayreuth. Nürnberg 1953
Schertz-Parey, Walter: Winifred Wagner. Graz 1999
Shaw, George Bernard: Wagner-Brevier. Frankfurt a.M. 1973
Schneider, Rolf: Die Reise zu Richard Wagner. Wien 1989
Silja, Anja: Die Sehnsucht nach dem Unerreichbaren. Berlin 1999
Syberberg, Hans Jürgen: Winifred Wagner und das Haus Wahnfried 1914–1975. 2 Videocass. Berlin 1993
Toussaint, Ingo (Hg.): Reisen nach Bayreuth. Zürich 1994
Voss, Egon: Die Dirigenten der Bayreuther Festspiele. Regensburg 1976
Voss, Egon: Wagner und kein Ende. Zürich 1996
Wagner, Cosima: Die Tagebücher. 2 Bde. Hg. v. Martin Gregor-Dellin u. Dietrich Mack. München 1976/1977
Wagner, Friedelind: Nacht über Bayreuth. Die Geschichte der Enkelin Richard Wagners. Köln 1994
Wagner, Nike: Wagner Theater. Frankfurt a.M./Leipzig 1998
Wagner, Richard: Mein Leben. Hg. v. Martin Gregor-Dellin. München 1976
Wagner, Richard: Das Braune Buch. Tagebuchaufzeichnungen 1865–1882. München 1988
Wagner, Richard: Gesammelte Schriften und Dichtungen. 10 Bde. 1871–1883. Leipzig 1913 (Nachdruck 1976)
Wagner, Richard: Schriften. Hg. v. Egon Voss. München/Wien 1976
Wagner, Richard und König Ludwig II. von Bayern. Briefwechsel. Hg. v. Kurt Wölfel. Stuttgart 1993
Wagner, Wieland: Richard Wagner und das neue Bayreuth. München 1962
Wagner, Wolfgang: Lebens-Akte. München 1994

Wapnewski, Peter: Richard Wagner – Die Szene und ihr Meister. München 1978
Wapnewski, Peter: Der traurige Gott. Richard Wagner in seinen Helden. München 1978
Weingartner, Felix: Lebenserinnerungen. Bd. 1. 2. Auflage. Zürich/Leipzig 1928
Wessling, Berndt W.: Wieland Wagner. Der Enkel. Köln 1997
Wilhelmine von Bayreuth. Eine preußische Königstochter. Glanz und Elend am Hofe des Soldatenkönigs in den Memoiren der Markgräfin Wilhelmine von Bayreuth. Mit e. Nachw. v. Annette Kolb. Frankfurt a. M. 1990
Zelinsky, Hartmut: Richard Wagner – ein deutsches Thema 1876–1976. Eine Dokumentation zur Wirkungsgeschichte Richard Wagners. Frankfurt 1976

Internet-Adressen

Bayreuth allgemein:
www.bayreuth.de*

Zu Richard Wagner:
www.wagnermuseum.de
www.wahnfried.de
www.bayreuther-festspiele.de
www.festspiele.de
www.festspiele.de/deutsch/forum
www.wagner-gesellschaft.de
www.richard-wagner-verband.de
www.zazz.com/wagner
www.richard-wagner.web.de

Zu Markgräfin Wilhelmine:
www.schloesser.bayern.de
www.preussen-2001.de

Zu Jean Paul:
www.uni-wuerzburg.de/germanistik/neu/jean-paul

Zu Franz Liszt:
www.lisztmuseum.hu

Bildnachweis

Aus: Barth, Herbert (Hg.): Richard Wagner und Bayreuth in Karikatur und Anekdote. Bayreuth: Edition Musica 1970 S. 9 (H. König) – Aus: Barth, Herbert / Mack, Dietrich / Voss, Egon: Wagner. Sein Leben, sein Werk und seine Welt in zeitgenössischen Bildern und Texten. Wien: Universal Edition 1975 S. 23 (Richard Wagner Museum, Tribschen), 64 (Bayerische Staatsbibliothek, München), 82 (*Illustrierte Zeitung*, Leipzig, 15. Juni 1872) – Bayerische Verwaltung der staatlichen Schlösser, Gärten und Seen, München S. 10 (Neues Schloß Bayreuth), 80 (Neues Schloß Bayreuth), 90 (Altes Musikzimmer, Neues Schloß Bayreuth), 108 re. (Altes Schloß Eremitage), 112 o. (Neues Schloß Bayreuth), 113, 126, 129 , 130 o. (Wolfgang Lammel), 130 u. (Musikzimmer, Altes Schloß Eremitage), 131, 157 (Sanspareil), 158 (Sanspareil) – Aus: Bayreuth. Merian. 29. Jahrgang. Heft 2 (Februar 1976). Hamburg: Hoffmann und Campe S. 62 o. (Wilhelm Rauh), 132 (Johannes Walde) – Aus: Bayreuth. Sonderausgabe der Zeitschrift »Bayerland«. München: Bayerland-Verlag o. J. S. 95 (W. v. Poswik; Scherenschnitt nach einer Skizze von Engels) – Aus: Bethge, Eberhard: Dietrich Bonhoeffer mit Selbstzeugnissen und Bilddokumenten. Reinbek bei Hamburg; Rowohlt Taschenbuch Verlag 1976 S. 121 u. – Bildarchiv Bayreuther Festspiele S. 20, 26, 66 li. und re., 69, 70 o. und u., 110, 134 – Verlag Lorenz Ellwanger, Bayreuth S. 22., 25, 27, 29, 47, 53, 88, 92, 93 re., 99, 105, 156 – Feldrapp, Reinhard S. 75, 115, 153, Umschlagvorderseite, -rückseite – Aus: Fick, Astrid: Potsdam – Berlin – Bayreuth. Carl Philipp Christian von Gontard (1731–1791) und seine bürgerlichen Wohnhäuser, Immediatbauten und Stadtpalais. Petersberg: Michael Imhof Verlag 2000 S. 87 (Potsdam-Museum) – Aus: Franken in alten Ansichten und Schilderungen. Hg. v. Hanns Hubert Hofmann u. Günther Schuhmann. Sigmaringen: Jan Thorbecke Verlag 1981 S. 161 (Sammlung des Historischen Vereins für Mittelfranken, Ansbach) – Aus: Friedrich Nietzsche. Chronik in Bildern und Texten. Im Auftrag der Stiftung Weimarer Klassik zusammengestellt v. Raymond J. Benders u. Stephan Oettermann. München/Wien: Carl Hanser Verlag 2000 S. 85, 103, 104 – Aus: Grebe, Karl: Anton Bruckner in Selbstzeugnissen und Bilddokumenten. Reinbek bei Hamburg:

Rowohlt Taschenbuch Verlag 1972 S. 89 (Staatsbibliothek, Berlin) – Historisches Museum Bayreuth S. 8/9, 96, 97, 114 – Aus: Kraft, Zdenko von: Der Sohn. Siegfried Wagners Leben und Umwelt. Graz/Stuttgart: Leopold Stocker Verlag 1969 S. 149 – Aus: Krückmann, Peter O.: Paradies des Rokoko I. Das Bayreuth der Markgräfin Wilhelmine. München/New York: Prestel 1998 S. 79 (Hechingen, Burg Hohenzollern, Louis Ferdinand Prinz von Preußen, Nachlaß), 81 (Potsdam, Schloß Sanssouci, Stiftung Preußische Schlösser und Gärten Berlin-Brandenburg), 133 (Klaus Frahm, Börnsen) – Landesbildstelle Nordbayern, Bayreuth S. 121 o., 122 (Germanisches Nationalmuseum Nürnberg), 123, 124 – Deutsches Literaturarchiv Marbach a. N. S. 94, 108 li., 136 – Gebr. Maisel's »Alte Brauerei« S. 151 – Mayer, Bernd, Bayreuth S. 84 o., 91, 118 u., 120 – Aus: Mayer, Bernd: Bayreuth. Die letzten 50 Jahre. Bayreuth: Ellwanger/Gondrom 1988 S. 32 o. (Historischer Verein für Oberfranken), 32 u., 86, 146 o., 147 (Richard Lammel) – Aus: Mayer, Bernd: Bayreuth wie es war. Blitzlichter aus der Stadtgeschichte 1950–1960. Bayreuth: Gondrom Verlag 1981 S. 34, 38, 49, 55, 77, 100 re., 109, 135 (Archiv Bernd Mayer) – Aus: Mayer, Bernd / Rückel, Gert: Von einem Paradies durch das andere. Auf den Spuren berühmter Wanderer im Landkreis Bayreuth. Schriftenreihe des Landkreises Bayreuth, Bd. 10. Hg. v. Landkreis Bayreuth. Bayreuth: Lorenz Ellwanger 1997 S. 165 (Privatarchiv Gert Rückel) – Aus: Mayer, Hans: Richard Wagner in Bayreuth. 1876–1976. Stuttgart/Zürich: Belser 1976 S. 35, 84 u., 100 li., 144 – Aus: Meier-Gesees, Karl: Bayreuth. Ein Stadtbuch in Bildern. Bayreuth: Carl Giessel o. J. S. 17, 30, 43, 71, 112 u., 139 – Aus: Müller, Wilhelm: Adolph Menzel in Bayreuth. Sonderdruck aus dem Archiv für Geschichte von Oberfranken. 54. Bd. Historischer Verein für Oberfranken 1974 S. 72, 98 (Staatl. Museen zu Berlin. Kupferstichkabinett und Sammlung der Zeichnungen) – Nationalarchiv der Richard-Wagner-Stiftung Bayreuth S. 24 li. und re., 28 o. und u., 31, 37, 42, 44, 45, 57, 58, 60, 62 u., 68, 148 – Oberfränkischer Ansichtskartenverlag, Bayreuth S. 141 – Aus: Ortheil, Hanns-Josef: Jean Paul mit Selbstzeugnissen und Bilddokumenten. Reinbek bei Hamburg: Rowohlt Taschenbuch Verlag 1984 S. 107 (Stadtbücherei Bayreuth), 137, 164 (Fichtelgebirgsmuseum Wunsiedel) – Aus: Panofsky, Walter:

Wagner. Eine Bildbiographie. Kindler Verlag 1963 S. 7, 14, 15, 63 – Aus: Rabenstein, Christoph / Werner, Ronald: St. Georgen. Bilder und Geschichte(n). Bayreuth: Druckhaus Bayreuth 1994 S. 118 o. (Wolfgang Ramming) – Aus: Schultz, Joachim (Hg.): Jean Paul, seine Zeit und Zeitgenossen auf Plakaten. Katalog zu einer Ausstellung im Kleinen Plakatmuseum Bayreuth. 6.10.–20.12.2000 S. 12 – Aus: Soden, Michael von: Richard Wagner. Ein Reiseführer. Dortmund: Harenberg Kommunikation 1991 S. 102 – Stadtarchiv Bayreuth Frontispiz, S. 61, 106 – Aus: Wagner, Wolf Siegfried: Die Geschichte unserer Familie in Bildern. Bayreuth 1876–1976. München: Rogner & Bernhard o. J. S. 33, 59 li. und re., 65 li. und re., 78 u. (Foto Lauterwasser, Überlingen), 93 li., 143 (Foto Lauterwasser, Überlingen), 145, 146 u. (Foto Lauterwasser, Überlingen) – Aus: »Wenn Not am Mann, muß immer Feustel dran«. Ausstellung der Bayreuther Festspiele, des Richard-Wagner-Museums und der Bayerischen Vereinsbank Bayreuth. 23.7.–28.8.1992 S. 52 (Familienarchiv Barbara Frömel-Feustel) – Aus: Zöchling, Dieter: Die Chronik der Oper. Gütersloh/München: Chronik Verlag S. 78 o.

Wir danken allen Rechteinhabern. In einigen Fällen ist es nicht gelungen, die heutigen Rechteinhaber zu ermitteln. Wir bitten diese, sich mit dem Verlag in Verbindung zu setzen.

Dank

Patrice Chéreau und Pierre Boulez sei Dank, die
mir mit ihrem Bayreuther »Jahrhundert-Ring«
des Jubiläumsjahres 1976 den schönsten Grund
geliefert haben für die unablässige Beschäftigung
mit Richard Wagner. In Bayreuth selbst habe ich
als Nicht-Einheimische bei meinen Recherchen
von allen Seiten nur freundliche Ermunterung
und Hilfestellung erfahren. Mein besonderer
Dank geht hier an Dr. Sylvia Habermann, die
Leiterin des Historischen Museums Bayreuth,
und Walter Bartl vom Bayreuther Stadtarchiv.
Großzügig haben mich auch Dr. Manfred Eger,
der ehemalige Chef des Wagner-Archivs und
-Museums, Karl Müssel, der Nestor der Bayreuther Geschichtsschreibung, Peter Emmerich von
den Bayreuther Festspielen und Dr. Sven Friedrich sowie dessen Mitarbeiter Günter Fischer
und Gudrun Föttinger vom Wagner-Museum/
Nationalarchiv bei der Beantwortung kniffliger
Fragen unterstützt. Entscheidende Anregungen
verdanke ich zudem den unzähligen Fotos und
Dokumenten, die Bernd Mayer zur Bayreuther
Historie gesammelt hat. Mein herzlichster Dank
aber gilt den beiden Arche-Verlegerinnen Elisabeth Raabe und Regina Vitali für ihr Engage-
ment und die lebhafte Unterstützung dieses Pro-
jekts.

Hamburg, im März 2001   K. W.

Biographische Notiz

Kläre Warnecke, geboren in Castrop-Rauxel,
studierte Musikwissenschaft, Germanistik,
Neue Literatur und Theaterwissenschaften in
Freiburg i. Br. und Hamburg. Magisterarbeit
über Probleme der musikalischen Interpretation
im 18. Jahrhundert. Lange Jahre verantwortliche
Kultur-Redakteurin und Kultur-Korresponden-
tin der Tageszeitung *Die Welt*. Kläre Warnecke
lebt in Hamburg.

Personenregister

Halbfette Ziffern verweisen auf Seiten, auf denen Personen in einem eigenen Abschnitt dargestellt werden, *kursive Ziffern* verweisen auf
Abbildungen.

Arche-Spaziergänge – Die unentbehrlichen Begleiter für Kulturreisende

Gudrun Arndt, Spaziergänge durch das literarische New York
216 S. 157 Abb. 8 Karten. Br.

Wolfgang Dömling, Spaziergänge durch das musikalische Prag
144 S. 101 Abb. 7 Karten. Br.

Katharina Festner / Christiane Raabe, Spaziergänge durch
das München berühmter Frauen
173 S. 129 Abb. 7 Karten. Br. 2. Auflage

Noël Riley Fitch, Die literarischen Cafés von Paris
Aus d. Amerikan. v. Katharina Förs u. Gerlinde Schermer-Rauwolf
91 S. 45 Abb. 5 Karten. Br. 2. Auflage

Anna Gruber / Bettina Schäfer, Spaziergänge über den Père Lachaise in Paris
166 S. 134 Abb. 4 Karten. Br.

Mary Ellen Jordan Haight, Spaziergänge durch Gertrude Steins Paris
Aus d. Amerikan. v. Karin Polz. 163 S. 115 Abb. 5 Karten. Br. 3. Auflage

Christiane Raabe / Katharina Festner, Spaziergänge durch Mozarts Salzburg
168 S. 118 Abb. 6 Karten. Br.

Paul Raabe, Spaziergänge durch Goethes Weimar
224 S. 177 Abb. 6 Karten. Br. 7. Auflage. Erw. u. aktualisierte Neuausgabe

Paul Raabe, Spaziergänge durch Lessings Wolfenbüttel
176 S. 142 Abb. 5 Karten. Br.

Paul Raabe, Spaziergänge durch Nietzsches Sils-Maria
159 S. 119 Abb. 6 Karten. Br. 4. Auflage

Dorothea Schröder, Spaziergänge durch das musikalische London
160 S. 101 Abb. 8 Karten. Br.

Cornelius Schnauber, Spaziergänge durch das Hollywood der Emigranten
168 S. 120 Abb. 5 Karten. Br. 2. aktualisierte Auflage

Hans Wißkirchen, Spaziergänge durch das Lübeck von
Heinrich und Thomas Mann. Unter Mitarbeit von Klaus von Sobbe
160 S. 120 Abb. 5 Karten. Br. 2. Auflage

Heinke Wunderlich, Spaziergänge an der Côte d'Azur der Literaten
192 S. 108 Abb. 9 karten. Br. 2. aktualisierte Auflage

Stammtafel der Familie Wagner

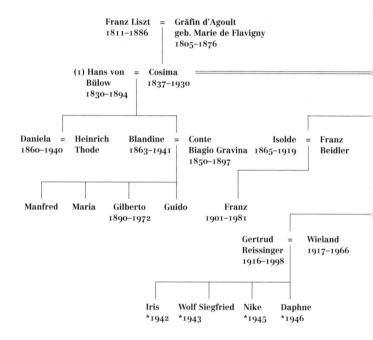

Franz Liszt = Gräfin d'Agoult
1811–1886   geb. Marie de Flavigny
              1805–1876

(1) Hans von = Cosima
    Bülow   1837–1930
    1830–1894

Daniela = Heinrich   Blandine = Conte   Isolde = Franz
1860–1940 Thode   1863–1941   Biagio Gravina 1865–1919   Beidler
                                  1850–1897

Manfred Maria Gilberto Guido   Franz
                1890–1972   1901–1981

                                   Gertrud   =   Wieland
                                   Reissinger   1917–1966
                                   1916–1998

                          Iris   Wolf Siegfried Nike   Daphne
                          *1942   *1943   *1945   *1946